4단계 B 공부할 내용 한눈에 보기!

KB101649

1주

2주

똑똑한 하루 독해를 함께 할 친구들을 소개합니다.

공부하자!

우리

힘내~!

나라

모든 정보가 디지털 정보로 만들어져 책을 읽는 사람이 거의 없어진 미래! 우연히 본 책에 마음을 뺏긴 래온이는 독해력을 길러 마음껏 책을 보기 위해 과거로 왔어요.

3주

4주

무엇이든 물어봐!

래온

반가워!

아빠

천방지축 괴짜 남매 우리와 나라의 집에서 함께 살게 된 사고뭉치 래온. 덕분에 우리와 나라를 돌보기도 벅찼던 아빠는 더욱 바빠졌어요. 래온이가 우리, 나라 남매와 함께 독해력을 키워 나가는 모습을 지켜봐 주세요.

독해? 독해!
독해가 뭐예요?

하나!

다들 '독해, 독해' 하는데 독해가 뭐예요?

글자를 읽기만 하는 게 아니라
진짜 이해하여 내 지식으로 만드는 것이 독해예요!

둘!

그럼 독해는 국어인가요?

독해는 그냥 국어만이 아니에요. 읽고 이해하는 독해가 안되면 수학 문제도 풀 수 없
어요. 이처럼 독해는 모든 과목 공부를 잘하기 위한 기초랍니다. 독해를 통해 모
든 과목의 지식을 내 것으로 만드는 방법을 배워야 해요.

셋!

글 읽고 문제만 계속 풀면 독해 공부가 되나요?

무조건 글 읽고 문제만 푼다고 독해 공부가 잘될 리 없지요. 「똑똑한 하루 독해」로
공부해 보세요. 먼저 어휘를 익히고 시나 이야기뿐만 아니라 수학, 사회, 과학, 역
사, 예술은 물론 생활 속 글까지 다양하게 읽어 보세요. 그리고 어휘 심화 문제와
게임으로 실력을 다져요. 이해도 쏙쏙 되고 지루할 틈이 없겠지요?

진짜 똑똑한 독해를 시작해 볼까요?

이 책의
특징과 장점

똑똑한 하루 독해로
똑똑해지자!

뭐 이렇게 독해책이 많아?

모르는구나?
요즘 독해가 대세야!

독해를 잘해야 국어뿐만
아니라 다른 과목 문제를
풀 때에도 요점을 잘 짚어
이해하고 풀 수 있다고.

독해는 어휘가 기본인데,
이 책은 어휘가 너무 부족해.

이 책은 너무 글만 가득해서
어렵고 지루해. 벌써 졸려!

이 책은 몽땅 교과서 글만 있잖아.
난 다양한 글을 읽고 싶은걸.

똑똑한 하루 독해!

왜 똑똑한 하루 독해일까요?

1 **10분**이면 **하루 독해 끝!** 쉽고 재미있는 독해 공부!

2 **어휘로 준비**하고 **어휘로 마무리!** 어휘력 쑥! 독해력 쑤욱!

3 **'문학·비문학·실생활' 알짜 지문!** 하루하루 다양하고 즐거운 독해!

4 **독해 최초 생활 속 독해, 생활 어휘, 생활 한자!** 생활 맞춤 실용 독해 완성!

5 **똑똑한 독해 게임**으로 **사고력 넓히기!** 창의·융합 독해력 팍팍!

이 책의 구성과 활용

한 주에 공부할 내용을
한눈에 보고,
문제로 확인합니다.

주 도입

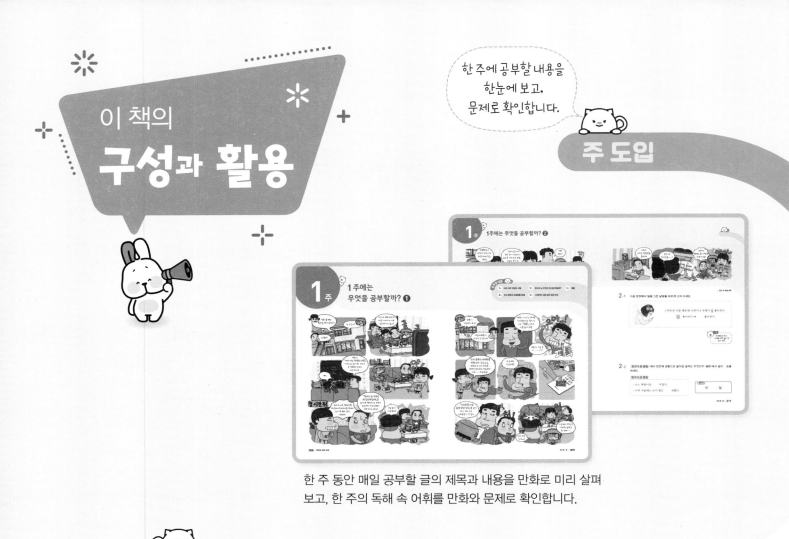

한 주 동안 매일 공부할 글의 제목과 내용을 만화로 미리 살펴
보고, 한 주의 독해 속 어휘를 만화와 문제로 확인합니다.

독해 코스

똑똑한 **하루 독해 미리 보기**

QR 코드를 찍으면
다양한 학습 자료를
보고 들을 수 있어요.

똑똑한 **하루 독해**

독해 개념과 필수 어휘 미리 익히기

재미있는 만화로 학습 목표와 핵심 독해 개념을
익히고, 지문 속 핵심 어휘를 간단한 문제로 미리
익히며 독해를 준비합니다.

실전 독해와 다양한 유형의 핵심 문제 풀기

여러 영역의 글을 읽고 다양한 유형의 문제로 독해를 완성합니다. 서술형 문제로
쓰기 연습을 해 보고, '스스로 독해 해결!' 문제로 자기 주도 학습 능력을 키웁니다.

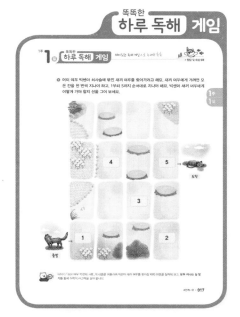

어휘 문제로 마무리하기
글에 쓰인 어휘를 문제로 다시 한번 확인하고 비슷한말, 반대말 등 관련 어휘 학습으로 어휘력을 넓힙니다.

게임으로 독해력 넓히기
재미있는 독해 게임으로 독해력을 넓히고 하루의 독해 학습을 마무리합니다.

누구나 100점 테스트와 주 특강으로 한 주의 독해를 마무리해 봅니다.

주 마무리

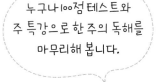

누구나 100점 테스트
한 주 동안 공부한 내용을 평가해 보며 독해 실력을 확인하고, 독해에 대한 자신감을 키웁니다.

주 특강 창의·융합·코딩
다양한 형식의 창의·융합·코딩 미션을 해결하며 한 주의 중요 어휘를 확인하고 다양한 배경지식을 넓힙니다.

친구들과 약속해요!

우리 같이 약속해요!

첫째, 하루하루 빠짐없이 꾸준히 공부하기!

둘째, 하루 독해 문제 끝까지 다 풀기!

셋째, 틀린 문제는 왜 틀렸는지 다시 한번 확인하기!

약속하는 사람 _____

쉽고 재미있는
『똑똑한 하루 독해』로
독해 공부를 시작해 봐요.

똑 똑 한

하루
독해

DUMI

단계
4 B
3~4학년

1주

1주에는 무엇을 공부할까? ❶

1-1 다음 뜻과 문장에 알맞은 낱말을 골라 ○표를 하세요.

뜻 진짜 모습이나 생각 등이 드러나지 않도록 거짓으로 꾸밈.

문장 판다의 털은 흰색과 검은색으로 이루어져 있는데, 이건 판다가 적으로부터 자신을 숨기는 (위장 , 거짓말)과 관련이 있다고 해요.

1-2 낱말 '위장'이 친구가 쓴 문장 의 '위장'과 같은 뜻으로 쓰이고 있는 문장을 골라 ○표를 하세요.

친구가 쓴 문장

> 경찰은 장사꾼으로 신분을 위장하고 범인이 나타나기를 기다렸다.

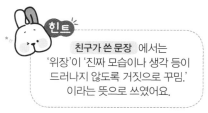
힌트
친구가 쓴 문장 에서는 '위장'이 '진짜 모습이나 생각 등이 드러나지 않도록 거짓으로 꾸밈.' 이라는 뜻으로 쓰였어요.

(1) 위장이 약하면 잘 체할 수 있다.   (   )

(2) 전학생은 위장을 잘해서 한동안은 아무도 그가 말썽꾸러기라는 것을 몰랐다.   (   )

▶ 정답 및 해설 8쪽

2-1 다음 문장에서 밑줄 그은 낱말을 바르게 고쳐 쓰세요.

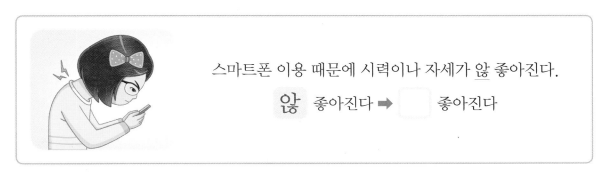

스마트폰 이용 때문에 시력이나 자세가 <u>않</u> 좋아진다.

않 좋아진다 ➡ [　] 좋아진다

힌트

'숙제를 <u>안</u> 하다',
'숙제를 하지 <u>않</u>다'와
같이 써요.

2-2 친구가 쓴 문장 에서 빈칸에 공통으로 들어갈 글자는 무엇인지 보기 에서 골라 ○표를 하세요.

친구가 쓴 문장

• 나는 떡볶이를 [　] 먹었다.

• 이번 겨울에는 눈이 별로 [　] 내렸다.

보기

안　　않

1일 어미 여우 빅센의 사랑

공부한 날   월   일

인물의 생각을 파악해라!

이야기 속 인물의 생각은 인물의 말과 행동을 보고
파악할 수도 있고, 인물의 생각을 나타낸 부분을 보고
파악할 수도 있어요. 인물의 생각을 파악하며
이야기 「어미 여우 빅센의 사랑」을 읽어 보아요.

● 오늘 공부할 글과 그림을 미리 보고, 알맞은 낱말을 각각 찾아 표시하세요.

밤이 되자 새끼 여우는 몹시 불안한 듯 왔다 갔다 했다. 그리고 안간힘을 써서 쇠사슬을 끊으려고 했다.

1 '더할 수 없이 심하게.'라는 뜻의 낱말을 찾아 ○표를 하세요.

2 '어떤 일을 이루기 위해서 몹시 애쓰는 힘.'이라는 뜻의 낱말을 찾아 △표를 하세요.

3 '실, 줄, 끈 따위의 이어진 것을 잘라 따로 떨어지게 하려고.'라는 뜻의 낱말을 찾아 □ 표를 하세요.

여우에 대해
알아보기

어미 여우 빅센의 사랑

어니스트 톰프슨 시턴

스스로 독해

'나'는 빅센이 쇠사슬을 물어뜯은 까닭이 무엇이라고 짐작하였나요? 점선 부분을 따라 선을 그으며 읽고 '나'의 생각을 파악해 보아요.

나는 집으로 돌아오자마자 말뚝을 박고 쇠사슬로 새끼 여우를 묶어 두었다.

"네가 불쌍하지만 어미가 잡혀야 끝날 일이라서 ㉠나도 어쩔 수가 없단다."

밤이 되자 새끼 여우는 몹시 불안한 듯 왔다 갔다 했다. 그리고 안간힘을 써서 쇠사슬을 끊으려고 했다. 밤이 깊어지자 마당이 조용해졌다. 나는 조용히 문을 열고 새끼 여우가 묶여 있는 곳을 살펴보았다. 그런데 놀랍게도 거기에는 빅센이 찾아와 새끼 여우에게 젖을 먹이고 있었다. 젖을 먹이면서도 입으로 쇠사슬을 물어뜯고 있었다.

다음 날 아침, 마당으로 나가 보니 쇠사슬 한 군데가 망치로 두드린 것처럼 납작해져 있었다.

'빅센, 이빨이 아팠겠구나. 새끼를 살리려고 이렇게 애를 쓰다니……'

나는 그제야 빅센의 마음을 알 것 같았다. 비록 암탉을 훔쳐 가서 목장에 피해를 주었지만, 새끼를 사랑하는 마음은 사람과 다를 바가 없었던 것이다.

어휘 풀이

- **말뚝** 땅에 두드려 박는 기둥이나 몽둥이.
- **몹시** 더할 수 없이 심하게. ⑩ 몹시 목이 말랐다.
- **안간힘** 어떤 일을 이루기 위해서 몹시 애쓰는 힘.
  ⑩ 선수들은 대회에서 우승하려고 안간힘을 다해 경기를 치렀다.
- **목장**|칠 목 牧, 마당 장 場| 일정한 시설을 갖추어 소나 말, 양 따위를 놓아기르는 곳.

▲ 목장

1
문법

㉠을 바르게 띄어 쓴 것을 골라 ○표를 하세요.

(1) 　나　도　　어쩔수가　　없단다.　　　　（　　　）

(2) 　나　도　　어쩔　수　가　　없단다.　　　　（　　　）

1주
1일

힌트
'수'는 혼자서는 쓸 수 없는 낱말이에요.
앞에 오는 낱말과 함께 써야 하고,
쓸 때에는 띄어 써야 해요.

2
이해

스스로 독해 해결! 서술형

'나'는 빅센이 쇠사슬을 물어뜯은 까닭이 무엇이라고 생각하였는지 쓰세요.

_____ 쇠사슬을

물어뜯은 것이다.

3
유추

이 이야기의 주제로 알맞은 것은 무엇인가요? (　　　　)

① 친구 사이의 우정
② 부모에 대한 효심
③ 환경 보호의 중요성
④ 은혜에 보답하는 마음
⑤ 새끼를 사랑하는 어미의 마음

4
요약

이 이야기의 내용을 정리하여 빈칸에 알맞은 말을 각각 쓰세요.

'나'는 어미 여우 빅센이 마당에 쇠사슬로 묶여 있는 ❶　　　　　　　를 살리

려고 밤에 찾아와 이빨로 ❷　　　　　　　　을 물어뜯었다고 생각하였다.

▶ 정답 및 해설 8쪽

1 동물의 암컷과 수컷을 가리키는 낱말로 알맞은 것을 보기 에서 각각 찾아 쓰세요.

보기

| 암닭 | 암탉 | 수개 | 수캐 | 암돼지 | 암퇘지 |

(1) ☐☐ 과 수탉

(2) 암캐와 ☐☐

(3) ☐☐☐ 와 수퇘지

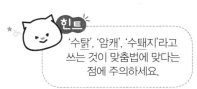

힌트

'수탉', '암캐', '수퇘지'라고 쓰는 것이 맞춤법에 맞다는 점에 주의하세요.

2 다음 문장에서 낱말 '끊다'가 어떤 뜻으로 사용되었는지 각각 찾아 선으로 이으세요.

(1) 전기를 <u>끊다</u>. ·

· ① 공급하던 것을 중단하다.

(2) 쇠사슬을 <u>끊다</u>. ·

· ② 관계가 이어지지 않게 하다.

(3) 소식을 뚝 <u>끊다</u>. ·

· ③ 실, 줄, 끈 따위의 이어진 것을 잘라 따로 떨어지게 하다.

● 어미 여우 빅센이 쇠사슬에 묶인 새끼 여우를 찾아가려고 해요. 새끼 여우에게 가려면 모든 칸을 한 번씩 지나야 하고, 1부터 5까지 순서대로 지나야 해요. 빅센이 새끼 여우에게 어떻게 가야 할지 선을 그어 보세요.

도착

4

5

3

출발

1

2

 이야기 「어미 여우 빅센의 사랑」의 내용을 떠올리며 빅센이 새끼 여우를 찾아갈 때의 마음을 짐작해 보고, **모두 지나는 길 찾기**를 통해 수학적 사고력을 길러 봅니다.

과학 (비문학)

판다의 눈 주변은 왜 검은색일까?

공부한 날   월   일

뜻을 잘 모르는 낱말의 뜻을 짐작해라!

낱말의 뜻을 이해하지 못하면 글을 제대로 이해할 수 없어요.

뜻을 잘 모르는 낱말의 앞뒤 문장이나 낱말을 살펴보면 낱말의

뜻을 짐작할 수 있답니다. 뜻을 잘 모르는 낱말의 뜻을 짐작하며

「판다의 눈 주변은 왜 검은색일까?」를 읽어 보아요.

● 오늘 공부할 글의 사진을 미리 보고, 빈칸에 알맞은 낱말을 **보기** 에서 각각 찾아 쓰세요.

보기

가끔   주로   포식자   열대림

❶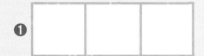

다양한 종류의 식물로 이루어진 열대 지방의 숲.

㉲ 판다는 추운 지역부터 ○○○까지 다양한 지역을 이동하며 산다.

❷

기본으로 삼거나 특별히 중심이 되게.

㉲ 판다는 ○○ 대나무의 잎을 먹는다.

❸

다른 동물을 먹이로 하는 동물.

㉲ 판다의 흰색 털은 겨울철 눈 속에서 ○○○의 눈에 띄지 않게 해 준다.

판다에 대해
알아보기

판다의 눈 주변은 왜 검은색일까?

스스로 독해

이 글을 읽다가 뜻을 잘 모르는 낱말이 나오면 어떻게 해야 할까요? 점선 부분을 따라 선을 그으며 읽고 낱말 '위장'의 뜻을 짐작해 보아요.

귀여운 외모로 사람들에게 사랑받는 판다. 판다의 털은 흰색과 검은색으로 이루어져 있는데, 이건 판다가 적으로부터 자신을 숨기는 ㉠위장과 관련이 있다고 해요.

미국 캘리포니아대학교 연구진은 195종 동물의 털 색깔과 주변 환경의 연관 관계를 비교한 연구를 통해 판다가 흰색과 검은색의 두 가지 털색을 갖게 된 것은 추운 지역부터 열대림까지 다양한 지역을 이동하며 사는 습성 때문이라는 결과를 얻었다고 해요. 판다는 다른 곰과 달리 겨울잠을 자지 않는데, 그것은 판다가 주로 먹는 대나무의 잎 칼로리가 너무 낮아 겨울잠을 자는 동안 버틸 만한 지방을 축적할 수 없기 때문이라고 해요. 그래서 판다는 겨울에도 대나무를 찾아 산과 벌판을 돌아다녀야 하는 것이죠. 연구진에 따르면 판다의 얼굴과 목, 배, 엉덩이 부분의 흰색 털은 겨울철 눈 속에서 자칼, 눈표범 등 포식자의 눈에 띄지 않게 해 주고, 팔과 다리의 검은색 털은 대나무 숲이나 열대림에서 몸을 숨기는 데 도움을 준다고 해요.

어휘 풀이

▼ **열대림**|더울 열 熱, 띠 대 帶, 수풀 림 林| 다양한 종류의 식물로 이루어진 열대 지방의 숲.

▼ **습성**|익힐 습 習, 성품 성 性| 같은 종류의 동물에서 공통되는 생활 양식이나 행동 양식.
　　예 나는 새의 습성을 연구하는 중이다.

▼ **주**|주인 주 主|**로** 기본으로 삼거나 특별히 중심이 되게. 예 나는 주로 시를 읽는다.

▼ **축적**|쌓을 축 蓄, 쌓을 적 積| 지식, 경험, 자금 따위를 모아서 쌓음. 또는 모아서 쌓은 것.
　　예 우리 회사에는 오랜 연구로 기술이 많이 축적되어 있다.

▼ **포식자**|사로잡을 포 捕, 먹을 식 食, 사람 자 者| 다른 동물을 먹이로 하는 동물.
　　예 고래는 바다에 사는 생물 중 가장 위에 있는 포식자이다.

1
어휘

스스로 독해 해결!

㉠의 뜻을 알맞게 짐작한 친구는 누구인지 ○표를 하세요.

(1)
낱말 '위장'은 '위'와 '장'으로 나눌 수 있으니까 '위'와 '창자'를 아울러 이르는 말 같아.

(　　　)

(2)
앞에 나온 '적으로부터 자신을 숨기는'이라는 말로 보아 '진짜 모습이 드러나지 않도록 거짓으로 꾸밈.'이라는 뜻 같아.

(　　　)

힌트
이 글에 쓰인 낱말 '위장'은 '카멜레온은 위장의 선수이다.', '그는 신분을 위장한 간첩이었다.' 등과 같이 쓸 수 있어요.

2
이해

판다의 털 색깔로 알맞은 것을 두 가지 고르세요. (　　　　　)

① 흰색　　　　　② 노란색　　　　　③ 검은색
④ 초록색　　　　　⑤ 파란색

3
이해

서술형

판다가 겨울잠을 자지 않는 까닭을 무엇이라고 하였는지 쓰세요.

판다가 주로 먹는 대나무의 잎 ＿＿＿＿＿＿＿＿＿＿＿

＿＿＿＿＿＿＿＿＿＿＿ 겨울잠을 자는 동안 버틸 만한

지방을 축적할 수 없기 때문이다.

4
요약

이 글의 내용을 정리하여 빈칸에 알맞은 말을 각각 쓰세요.

판다의 털이 흰색과 검은색으로 이루어져 있는 것은 위장과 관련이 있다.

판다의 ❶ □□ 털은 겨울철 눈 속에서 포식자의 눈에 띄지 않게 해 주고,

판다의 검은색 털은 ❷ □□□ 숲이나 열대림에서 몸을 숨기는 데

도움을 준다.

▶ 정답 및 해설 9쪽

1 보기 의 낱말을 흰색과 검은색 중 어느 것과 관련이 있는지 각각 구분하여 쓰세요.

보기

| 까맣다 | 하야말갛다 | 거무튀튀하다 | 희끗희끗하다 |
| 하얗다 | 거무스름하다 | 희끄무레하다 | 거뭇거뭇하다 |

(1) 흰색	(2) 검은색
하야말갛다	까맣다

힌트

보기 의 낱말이 흰색과 검은색 중 어떤 색에서 만들어진 말인지 생각해 봐요.
'아기의 얼굴이 <u>하야말갛다</u>.', '옷에 때가 묻어서 <u>거무튀튀하다</u>.' 등과 같이 쓸 수 있어요.

2 빈칸에 알맞은 말을 보기 에서 각각 찾아 쓰세요.

보기

| 습성 | 위장 | 축적 |

(1) 메뚜기는 위험한 상황이 닥치면 보호색으로 자신을 □□ 한다.

(2) 연어는 바다에 살다가 강물로 되돌아와 알을 낳는 □□ 이 있다.

(3) 바다로 흘러간 오염 물질이 바다에 사는 생물의 몸에 □□ 되어 문제가 되고 있다.

● 털이 흰색과 검은색으로 이루어져 있는 판다의 모습을 떠올리며 대나무 숲에 숨어 적으로부터 자신을 숨기고 있는 판다를 모두 찾아 ◯표를 하세요.

 「판다의 눈 주변은 왜 검은색일까?」의 내용을 떠올리며 판다의 털이 흰색과 검은색으로 이루어져 있는 까닭을 다시 한번 생각해 보고, 숨어 있는 판다를 찾으며 **판다의 모습**을 익혀 봅니다.

1주 3일 동시 (문학)

태풍

시의 중심 글감을 찾아라!

글감은 경험과 같이 글을 쓰는 데 재료가 되는 것을 말해요.

중심 글감은 글감 중에서 글쓴이가 나타내고 싶은 생각인

주제와 깊은 관련이 있는 것으로, 중심 글감이 제목이 되기도 하지요.

중심 글감을 찾으며 동시 「태풍」을 읽어 보아요.

◎ 오늘 공부할 글의 그림을 미리 보고, 빈칸에 알맞은 낱말을 각각 찾아 쓰세요.

살짝	마구	걱정스럽게	요란스럽게

해수욕장에 놀러 와 ❶ [   ] 운동회를 열더니 쓰레기를

└→ 시끄럽고 떠들썩한 데가 있게.

❷ [   ] 버려 놓고 도망간 것은 과연 누구일까요? 누가 그런 일을 한 것인

└→ 아무렇게나 함부로.

지 동시를 읽어 보아요.

동시
「태풍」 듣기

태풍

박일

스스로 독해

이 시에서 '너'는 누구일까요? 점선 부분을 따라 선을 그으며 읽고 중심 글감을 찾아보아요.

지난여름

해운대▼해수욕장에

놀러 와서

▼요란스럽게

운동회를 열더니

너도

쓰레기

▼마구 버려 놓고

도망갔구나.

어휘 풀이

▼**해수욕장**|바다 해 海, 물 수 水, 목욕할 욕 浴, 마당 장 場|　바닷물에서 헤엄을 치거나 즐기며 놀 수 있도록 환경과 시설이 갖추어진 바닷가.

▼**요란**|흔들릴 요 搖, 어지러울 란 亂|**스럽게**　시끄럽고 떠들썩한 데가 있게.
　예 매미가 아침부터 요란스럽게 울어 댔다.

▼**마구**　아무렇게나 함부로. 예 글씨를 마구 써서 알아볼 수가 없었다.

▲ 해수욕장

▶ 정답 및 해설 10쪽

1
유추

이 시를 읽고 떠오르는 장면으로 알맞은 것을 골라 ◯표를 하세요.

| (1) 쓰레기로 더러운 해수욕장의 모습 ( ) | (2) 학교 운동장에서 운동회가 열린 모습 ( ) |

2
유추

스스로 독해 해결!

이 시에서 '너'는 누구일까요? ( )

① 눈   ② 태양   ③ 태풍
④ 구름   ⑤ 물고기

힌트
이 시에 나오는 '너'는
이 시의 중심 글감이에요.

3
이해

서술형

위 **2**에서 답한 '너'와 사람들이 잘못한 일은 무엇인지 쓰세요.

해수욕장에 놀러 와서 쓰레기를 ＿＿＿＿＿＿＿＿＿ 도망갔다.

4
요약

이 시의 내용을 정리하여 빈칸에 알맞은 말을 각각 쓰세요.

너도 지난여름 ❶＿＿＿＿＿＿＿＿ 에 놀러 와서 요란스럽게 운동회를

열더니 ❷＿＿＿＿＿＿＿ 를 마구 버려 놓고 도망갔구나.

▶ 정답 및 해설 10쪽

1 낱말이 어떻게 만들어졌는지 살펴보고 다음 빈칸에 알맞은 낱말을 각각 쓰세요.

> **-회** '모임'의 뜻을 더하는 말. 예) 운동 + -회 → 운동회

(1) 동호 + -회 →

(2) 음악 + -회 →

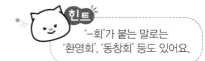

힌트
'-회'가 붙는 말로는
'환영회', '동창회' 등도 있어요.

2 빈칸에 알맞은 날씨와 관련된 낱말을 보기 에서 각각 찾아 쓰세요.

> **보기**
>
> **폭염**　매우 심한 더위.
>
> **꽃샘추위**　이른 봄, 꽃이 필 무렵의 추위.
>
> **태풍**　주로 7~9월에 태평양에서 한국, 일본 등 아시아 대륙 동부로 불어
> 오는, 거센 폭풍우를 동반한 바람.

(1) ＿＿＿＿＿＿＿ 에 사람들이 두꺼운 겨울옷을 다시 꺼내 입었다.

(2) ＿＿＿＿＿＿＿ 이 계속되면서 에어컨의 사용량도 매우 빠르게 늘고 있다.

(3) ＿＿＿＿＿＿＿ 의 영향으로 곳곳에 바람이 매우 강하게 불고 비가 내리고 있다.

● 다음 만화를 잘 읽고, 태풍이 하는 일로 알맞은 말에 각각 ◯표를 하세요.

태풍은 세차게 쏟아지는 비를 동반한 강한 바람이에요. 그래서 태풍으로 집이 물에 잠기거나 논밭에 심어 놓은 곡식과 채소가 피해를 입기도 하지만, 물이 부족한 지역에서는 태풍이 몰고 오는 (1)(비 , 눈) 덕분에 (2)(홍수 , 가뭄)에서 벗어나기도 해요.

 동시 「태풍」의 내용을 떠올리며 **태풍으로 인한 피해**는 물론 **태풍이 우리에게 끼치는 좋은 영향**에 대해서도 생각해 볼 수 있습니다.

4일 사회 (비문학)
우리 문화의 세계화를 위해

공부한 날　　　월　　　일

주장하는 글에서 중심 문장을 찾아라!

중심 문장은 문단 내용을 대표하는 문장이에요. 주장하는 글에서

중심 문장을 찾으면 글쓴이의 주장과 그에 대한 근거를 파악할 수 있어요.

중심 문장을 찾으며 「우리 문화의 세계화를 위해」를 읽어 보아요.

● 오늘 공부할 글의 그림을 미리 보고, 빈칸에 알맞은 낱말을 각각 찾아 쓰세요.

전문화　　　세계화　　　홍보물

우리 문화를 ❶ [　][　][　] 하려면 우리가 먼저 우리 문화를 제대로 이해

→ 세계 여러 나라를 이해하고 받아들이게 함.

하고, 이것을 해외에 소개하는 노력을 기울여야 해요. 그러기 위해서는 우리 문화

를 소개하는 ❷ [　][　][　] 을 만들어 보급하는 일이 필요해요. 또 어떤 방

→ 어떤 사실이나 제품 따위를 널리 알리기 위해 만든 것.

법이 있을까요?

세계에 알려진 우리 문화에 대해 알아보기

우리 문화의 세계화를 위해

스스로 독해

각 문단의 중심 문장은 무엇일까요? 점선 부분을 따라 선을 그으며 읽고 답을 생각해 보아요.

오늘날과 같이 경제 활동이나 문화 교류 등이 전 세계를 무대로 하여 이루어지는 시대에 우리 문화를 세계에 알리기 위해서는 어떻게 해야 할까? ㉠「우선 우리가 먼저 우리 문화를 제대로 이해하고, 이것을 해외에 소개하는 노력을 기울여야 한다.」

㉡「외국인들이 막상 우리 문화에 대해 알고 싶어도 접할 기회가 없거나 소개 자료가 부족해서 가까이하는 데 어려움이 많다고 한다.」 이들의 요구를 충족시키고 우리 문화를 해외에 소개하기 위해서는 ㉢「우리 문화를 소개하는 책이나 홍보물을 만들어 보급하는 일이 필요하다.」

㉣「세계인의 주목을 받을 수 있는 특색 있는 문화 행사를 개최하는 것도 중요하다.」 우리나라는 이미 올림픽과 월드컵 등 각종 행사를 훌륭하게 치른 경험이 있다. 이러한 경험을 바탕으로 국제적인 문화 행사를 개최하여 우리의 문화를 세계인에게 선보이고 또한 세계의 문화를 익혀 우리 문화의 수준을 높이는 기회를 마련해야 한다.

어휘 풀이

▼**세계화**|세대 세 世, 경계 계 界, 될 화 化| 세계 여러 나라를 이해하고 받아들임. 또는 그렇게 되게 함.
　예 한국의 가요는 이미 <u>세계화</u>에 성공하였다.

▼**홍보물**|넓을 홍 弘, 갚을 보 報, 만물 물 物| 어떤 사실이나 제품 따위를 널리 알리기 위해 만든 것.
　예 선거 <u>홍보물</u>이 우편함에 가득 찼다.

▼**보급**|기울 보 補, 줄 급 給| 물자나 자금 따위를 계속해서 대어 줌.
　예 심각한 가뭄으로 마실 물의 <u>보급</u>마저 끊길 위험이 있다.

1
이해

㉠~㉢ 중 각 문단의 중심 문장이 아닌 것을 골라 기호를 쓰세요.

(   )

2
이해

서술형

이 글에서는 외국인들이 우리 문화에 대해 알고 싶어도 가까이하는 데 어려움이 많은 까닭을 무엇이라고 하였는지 쓰세요.

우리 문화를 접할 기회가 없거나 _____

3
유추

우리 문화를 세계화하기 위한 방법으로 더 들어갈 내용을 알맞게 말한 친구는 누구인지 ○표를 하세요.

(1)
해외의 유명한 박물관이나 미술관 등에 한국 문화를 소개하는 코너를 설치하면 외국인들이 자연스럽게 한국 문화를 접하게 될 거야.

(   )

(2)
한글이나 한국의 가요 등 우리 문화의 우수성은 이미 전 세계 사람들이 알고 있기 때문에 외국인들에게 우리 문화를 따로 소개할 필요는 없어.

(   )

힌트
글쓴이는 우리가 먼저 우리 문화를 제대로 이해하고, 이것을 해외에 소개하는 노력을 기울여야 한다고 주장하고 있어요.

4
요약

이 글의 내용을 주장과 근거로 정리하여 빈칸에 알맞은 말을 각각 쓰세요.

주장	우리가 먼저 우리 문화를 제대로 이해하고, 이것을 해외에 소개하는 노력을 기울여야 한다.
근거	• 우리 문화를 소개하는 책이나 ❶ [ ] [ ] 을 만들어 보급한다. • 세계인의 주목을 받을 수 있는 특색 있는 ❷ [ ] [ ] 행사를 개최한다.

1 다음 문장에서 밑줄 그은 낱말의 뜻으로 알맞은 것에 각각 ◯표를 하세요.

(1)

오늘날에는 경제 활동이나 문화 교류 등이 전 세계를 무대로 하여 이루어지고 있다.

① 노래, 춤, 연극 따위를 하기 위하여 객석 정면에 만들어 놓은 단. (   )

② 주로 활동하는 공간을 빗대어 이르는 말. (   )

(2)

우리가 먼저 우리 문화를 제대로 이해하고, 이것을 해외에 소개하는 노력을 기울여야 한다.

① 비스듬하게 한쪽을 낮추거나 비뚤게 하여야. (   )

② 정성이나 노력 따위를 한곳으로 모아야. (   )

> **힌트**
> '무대'와 '기울이다'는 한 낱말이 여러 가지 뜻을 가진 다의어예요. 낱말의 앞뒤 내용을 잘 살펴보고 어떤 뜻으로 쓰였는지 짐작해 보세요.

2 다음 설명을 잘 읽고 빈칸에 '－화'와 '－적' 중 알맞은 말을 각각 골라 쓰세요.

> － 화   '그렇게 만들거나 됨'의 뜻을 더해 주는 말. ⑲ 기계화
>
> － 적   '그 성격을 띠는', '그에 관계된' 등의 뜻을 더해 주는 말. ⑲ 국가적

(1) 한국 문화의 세계   를 위해 다음과 같은 방안의 실천이 필요하다.

(2) 국제   인 문화 행사를 개최하여 우리의 문화를 세계인에게 선보여야 한다.

● 다음은 우리나라를 대표하는 자랑스러운 문화예요. 빨간색으로 쓴 낱자를 순서대로 모으면 버리가 외국인들에게 가장 소개하고 싶은 우리나라의 문화가 무엇인지 알 수 있대요. 잘 살펴보고, 빈칸에 알맞은 말을 쓰세요.

수원 화성 → 창덕궁 → 온돌

→ 한식 → 드라마 → 석굴암

 외국인들에게 가장 소개하고 싶은 우리나라의 문화는 　　　　　 이에요.

 「우리 문화의 세계화를 위해」의 내용을 떠올리며 **우리나라를 대표하는 자랑스러운 문화**에는 어떤 것들이 있는지 알아봅니다.

스마트폰 사용 습관 점검 안내

공부한 날   월   일

가정 통신문을 읽고 글을 쓴 목적을 찾아라!

학교에서 학부모에게 알릴 내용을 써서 보내는 가정 통신문을 읽을 때에는
글을 쓴 목적을 찾아야 해요. 학생과 학부모 모두 이 글을 왜 써서 보냈는지
생각하며 읽어야 학생의 바른 학교생활에 도움이 되기 때문이에요.
글을 쓴 목적을 찾으며 「스마트폰 사용 습관 점검 안내」를 읽어 보아요.

● 오늘 공부할 글의 그림을 미리 보고, 빈칸에 알맞은 낱말을 보기 에서 각각 찾아 쓰세요.

보기

걱정	지장	수시로	잠재적

❶

아무 때나 늘.
㉠ 하루에도 ○○○ 스마트폰을 이용하려고 한다.

❷

일하는 데 거치적거리거나 방해가 되는 장애.
㉠ 스마트폰을 하느라 다른 놀이나 학습에 ○○이 있다.

❸

겉으로 드러나지 않고 숨은 상태로 존재하는.
㉠ 점수가 24~27점인 경우에는 ○○○ 위험군에 속한다.

스마트폰을 뺏으라는 내용은 아니겠지?

스마트폰 중독 관련
공익 광고
동영상 보기

스스로 독해

이 가정 통신문을 쓴
목적은 무엇일까요?
점선 부분을 따라 선
을 그으며 읽고 답을
생각해 보아요.

천재 초등학교	스마트폰 사용 습관 점검 안내 20○○-41호	바르고 지혜로운 어린이

안녕하십니까? 여름 방학이 끝나고 새 학기가 시작되었습니다.

우리 학교에서는 학생들의 스마트폰 사용 습관 점검 결과를 바탕으로 바른 스마트폰 사용을 위한 상담과 교육을 실시하려고 합니다. 다음 점검표에 따라 학생의 스마트폰 사용 습관을 점검하여 그 결과를 9월 9일까지 담임 선생님께 제출해 주시기 바랍니다.

◎ 6~12세 아동(보호자용)

항목	전혀 그렇지 않다	그렇지 않다	그렇다	매우 그렇다
1. 스마트폰 이용에 대한 보호자의 지도를 잘 따른다.	4	3	2	1
2. 정해진 스마트폰 이용 시간을 잘 따른다.	4	3	2	1
3. 스마트폰을 빼앗지 않아도 스스로 그만둔다.	4	3	2	1
4. 항상 스마트폰을 갖고 놀고 싶어 한다.	1	2	3	4
5. 스마트폰 갖고 노는 것을 가장 좋아한다.	1	2	3	4
6. 하루에도 수시로 스마트폰을 이용하려고 한다.	1	2	3	4
7. 스마트폰 이용 때문에 보호자에게 자주 혼난다.	1	2	3	4
8. 스마트폰을 하느라 다른 놀이나 학습에 지장이 있다.	1	2	3	4
9. 스마트폰 이용 때문에 시력이나 자세가 안 좋아진다.	1	2	3	4

채점 결과

(   )학년 (   )반   이름: (   )

※ 자신의 점수에 ∨표를 하세요.

채점 결과 (36점 최고점)	고위험군 (28점 이상)	잠재적 위험군 (24~27점)	일반 사용자군 (23점 이하)

어휘 풀이

▼ **수시** | 따를 수 隨, 때 시 時 | **로**   아무 때나 늘. 예 봉사 활동 신청은 수시로 할 수 있다.

▼ **지장** | 지탱할 지 支, 가로막을 장 障 | 일하는 데 거치적거리거나 방해가 되는 장애.

예 수업 중 떠들면 수업에 지장을 준다.

▼ **잠재적** | 자맥질할 잠 潛, 있을 재 在, 과녁 적 的 | 겉으로 드러나지 않고 숨은 상태로 존재하는.

예 어린이의 잠재적 능력은 무궁무진하다.

1
이해

스스로 독해 해결 서술형

이 글을 쓴 목적은 무엇인지 쓰세요.

학생들의 스마트폰 사용 습관 점검 결과를 바탕으로 바른 스마트폰 사용을
위한 _____ 실시하기 위해서이다.

2
이해

누가 누구의 스마트폰 사용 습관을 점검해야 하는지 알맞은 말에 각각 ○표를 하세요.

· (1)(학생 , 학생 보호자)이/가 (2)(학생 , 학생 보호자)의 스마트폰 사용 습관을 점검해야 한다.

3
유추

채점 결과에서 고위험군에 속하는 사람은 누구누구인가요? (   )

① 채민: 15점
② 현솔: 23점
③ 다솔: 27점
④ 재환: 28점
⑤ 애란: 32점

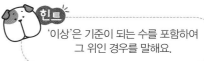

힌트
'이상'은 기준이 되는 수를 포함하여
그 위인 경우를 말해요.

4
요약

이 글의 내용을 정리하여 빈칸에 알맞은 말을 각각 쓰세요.

이 글은 점검표에 따라 학생의 ❶ □ □ □ □ 사용 습관을 점검
하여 그 결과를 9월 9일까지 ❷ □ □ 선생님께 제출해 달라는 가정 통
신문이다.

1 다음 대화와 설명을 잘 보고 문장에 알맞은 낱말에 각각 ◯표를 하세요.

(1) 스마트폰을 빼앗지 (안아도 , 않아도) 스스로 그만둔다.

(2) 스마트폰 이용 때문에 시력이나 자세가 (안 , 않) 좋아진다.

> **힌트**
> '안'은 '아니'의 준말이고 '않(다)'은 '아니하(다)'의 준말이에요.
> 헷갈리는 곳에 '아니'와 '아니하'를 넣어서 '아니'가 자연스러우면
> '안'을, '아니하'가 자연스러우면 '않'을 쓰면 돼요.

2 빈칸에 알맞은 낱말을 보기 에서 각각 찾아 쓰세요.

> **보기**
> **수시로** 아무 때나 늘.
> **시력** 물체를 볼 수 있는 눈의 능력.
> **점검** 낱낱이 검사함. 또는 그런 검사.
> **지장** 일하는 데 거치적거리거나 방해가 되는 장애.

(1) 최근   이 많이 떨어져서 안경을 맞추었다.

(2) 내가 가진 통장은   돈을 넣거나 뺄 수 있는 것이다.

(3) 선생님께서는 스마트폰 사용이 학습에   을 준다고 말씀하셨다.

(4) 현장 체험학습을 갈 때에는 출발 전에 반드시 인원   을 해야 한다.

똑똑한 하루 독해 게임

재미있는 독해 게임으로 독해력 쏙쏙

▶ 정답 및 해설 12쪽

● 스마트폰을 피해 학교에서 집까지 돌아가는 게임을 하고 있어요. 세 친구가 따라간 화살표를 보고 성공하지 **못한** 친구는 누구인지 이름을 쓰세요.

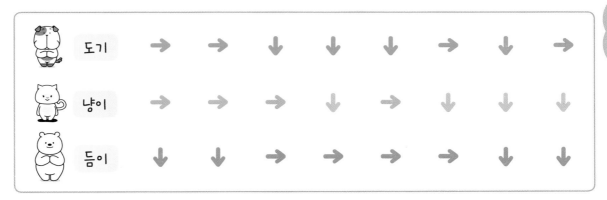

 게임에 성공하지 못한 친구는   예요.

「스마트폰 사용 습관 점검 안내」의 내용을 떠올려 보고 스마트폰을 피해 학교에서 집까지 돌아가는 게임을 해 보며 **길을 걸어 다닐 때에는 스마트폰을 사용하지 않아야 한다**는 것을 알아 둡니다.

[1~2] 다음 글을 읽고, 물음에 답하세요.

밤이 깊어지자 마당이 조용해졌다. 나는 조용히 문을 열고 새끼 여우가 묶여 있는 곳을 살펴보았다. 그런데 놀랍게도 거기에는 빅센이 찾아와 새끼 여우에게 젖을 먹이고 있었다. 젖을 먹이면서도 입으로 쇠사슬을 물어뜯고 있었다.

다음 날 아침, 마당으로 나가 보니 쇠사슬 한 군데가 망치로 두드린 것처럼 납작해져 있었다.

'빅센, 이빨이 아팠겠구나. 새끼를 살리려고 이렇게 애를 쓰다니……'

나는 그제야 ⊙빅센의 마음을 알 것 같았다.

1 빅센이 새끼 여우를 살리려고 한 일은 무엇인가요? (   )

① 밤새 구슬프게 울었다.

② 이빨로 쇠사슬을 물어뜯었다.

③ 새끼 여우를 쇠사슬로 묶었다.

④ 새끼 여우를 여우 굴로 데려갔다.

⑤ 새끼 여우를 목장에 데려다주었다.

2 ⊙으로 알맞은 것을 골라 ◯표를 하세요.

(1) 새끼를 사랑하는 마음   (   )

(2) 친구를 그리워하는 마음   (   )

[3~5] 다음 글을 읽고, 물음에 답하세요.

㈎ 판다의 털은 흰색과 검은색으로 이루어져 있는데, 이건 판다가 적으로부터 자신을 숨기는 위장과 관련이 있다고 해요.

㈏ 판다의 얼굴과 목, 배, 엉덩이 부분의 흰색 털은 겨울철 눈 속에서 자칼, 눈표범 등 포식자의 눈에 띄지 않게 해 주고, 팔과 다리의 검은색 털은 대나무 숲이나 열대림에서 몸을 숨기는 데 도움을 준다고 해요.

3 다음과 같은 뜻의 낱말을 찾아 쓰세요.

진짜 모습이나 생각 등이 드러나지 않도록 거짓으로 꾸밈.

(   )

4 판다가 적으로부터 자신을 숨기는 위장과 관련이 있는 것을 골라 ◯표를 하세요.

(털색 , 짝짓기)

5 판다의 털 색깔이 어떤 도움을 주는지 각각 찾아 선으로 이으세요.

(1) 흰색 털 •   • ① 겨울철 눈 속에서 포식자의 눈에 띄지 않게 해 준다.

(2) 검은색 털 •   • ② 대나무 숲이나 열대림에서 몸을 숨기는 데 도움을 준다.

[6~7] 다음 시를 읽고, 물음에 답하세요.

> **태풍**
>
> 지난여름
> 해운대 해수욕장에
> 놀러 와서
>
> 요란스럽게
> 운동회를 열더니
>
> ㉠너도
> 쓰레기
> 마구 버려 놓고
> 도망갔구나.

6 이 시에서 ㉠은 누구인지 찾아 쓰세요.

(   )

7 이 시에서 말하는 이의 생각에 대해 알맞게 말한 사람은 누구인지 ◯표를 하세요.

(1) 현솔: '너'와 함께 운동회에 참가하였던 때를 그리워하고 있어. (   )

(2) 다솔: 사람들이 쓰레기를 마구 버려 해수욕장이 더러워졌다고 생각해.

(   )

[8~9] 다음 글을 읽고, 물음에 답하세요.

(가) 우리 문화를 세계에 알리기 위해서는 어떻게 해야 할까? 우선 우리가 먼저 우리 문화를 제대로 이해하고, 이것을 해외에 소개하는 노력을 ㉠기울여야 한다.

(나) 우리 문화를 해외에 소개하기 위해서는 우리 문화를 소개하는 책이나 홍보물을 만들어 보급하는 일이 필요하다.

8 다음 문장 중 밑줄 그은 낱말이 ㉠과 같은 뜻으로 쓰인 것을 골라 ◯표를 하세요.

(1) 식물을 키울 때에는 정성을 기울여야 한다. (   )

(2) 기름이 얼마 남지 않아 기름병을 많이 기울여야 기름이 나왔다. (   )

9 우리 문화를 세계에 알리는 방법이 무엇이라고 하였는지 빈칸에 알맞은 말을 쓰세요.

• 우리 문화를 소개하는 (   )
이나 홍보물을 만들어 보급한다.

10 다음 글을 쓴 목적은 무엇인가요? (   )

> 우리 학교에서는 학생들의 스마트폰 사용 습관 점검 결과를 바탕으로 바른 스마트폰 사용을 위한 상담과 교육을 실시하려고 합니다. 다음 점검표에 따라 학생의 스마트폰 사용 습관을 점검하여 그 결과를 9월 9일까지 담임 선생님께 제출해 주시기 바랍니다.

① 스마트폰 사용을 금지하려고
② 스마트폰 사용을 권장하려고
③ 스마트폰의 기능을 설명하려고
④ 스마트폰 사용의 장점을 알리려고
⑤ 바른 스마트폰 사용을 위한 상담과 교육을 실시하려고

창의

1 다음 만화를 읽고, 1주차에서 배운 낱말을 떠올려 어휘 퀴즈에 알맞은 낱말을 빈칸에 각각 쓰세요.

▶ 정답 및 해설 13쪽

🐻 어휘 퀴즈

❶ '진짜 모습이나 생각 등이 드러나지 않도록 거짓으로 꾸밈.'을 뜻하는 말은? →

❷ '물자나 자금 따위를 계속해서 대어 줌.'을 뜻하는 말은? →

❸ '주변 공사장 소음으로 수업에 ○○을 받고 있다.'의 빈칸에 들어갈 알맞은 말은?

→

코딩

2 동시 「태풍」의 말하는 이는 사람들이 쓰레기를 마구 버려 놓고 도망가서 해수욕장이 더러워졌다고 했어요. 해수욕장에 버려진 쓰레기 세 개를 모두 주울 수 있도록 코딩 카드의 빈칸에 알맞은 화살표의 방향을 그려 보세요.

❶ ↑ ❷ ❸ ↑ ❹ ❺ ←

융합

3 학생들이 「스마트폰 사용 습관 점검 안내」를 읽고 보호자와 함께 점검한 결과를 담임 선생님께 제출하였어요. 다음 그림과 표를 보고, 반 학생들이 모두 몇 명인지 빈칸에 숫자로 쓰세요.

단위: 명

고위험군	잠재적 위험군	일반 사용자군	총 인원
2	5	18	

창의

4 다음 안내문을 보고, 알맞은 말에 ◯표를 하세요.

생활 어휘

왜 비둘기에게 먹이를 주지 말라는 거지?

비둘기 먹이 주기 금지!

비둘기는 환경부에서 지정한 ▼유해 야생 동물입니다.
비둘기 수가 증가하면서 건물을 썩게 하거나
▼악취 등 피해를 일으키고 있으므로
비둘기에게 먹이를 주는 행위를 ▼삼가 주십시오.

비둘기에게 먹이를 주지 마세요!

안 돼요!

○○시 환경과

악취? 재채기하는 소리인가?

애들아!
　비둘기는 (1) (이로움 , 해로움)이 있는 야생 동물이래. 비둘기 수가 늘어나면서 건물을 썩게 하기도 하고 (2) (좋은 , 나쁜) 냄새 등 피해를 일으키고 있기 때문에 비둘기에게 먹이를 주지 말라고 하는 거야.

어휘 풀이 -

▼**유해** | 있을 유 有, 해로울 해 害 |　해로움이 있음.

　　例 어린이들의 장난감에서 유해 물질이 나와서 충격을 주고 있다.

▼**악취** | 악할 악 惡, 냄새 취 臭 |　나쁜 냄새. 例 쓰레기통에서 악취가 진동했다.

▼**삼가**　어떤 것을 피하거나 양이나 횟수를 적게 해. 例 불량 식품 사 먹는 것을 삼가 주세요.

1주
특강

창의 5

생활 한자

水 자에 대해 알아보고, 다음 물음에 답하세요.

水 자는 시냇물 위로 비가 내리는 모습을 그려서 '물'이라는 뜻을 표현한 글자예요.

물 **수**

물 수

(1) 水 자가 들어간 낱말을 알아보고, 한자의 음을 쓰세요.

① 채민이가 가장 좋아하는 운동은 <u>水泳</u>이다.

영

힌트
26쪽에서 공부한 '해수욕장'에 쓰인 水(물 수) 자에 대해 알아보아요.

② 이 계곡은 <u>水深</u>이 깊기 때문에 함부로 들어가면 안 된다.

심

(2) 한자 성어의 뜻을 알아보고, 빈칸에 알맞은 한자를 쓰세요.

水 魚 之 交

물 **수** 물고기 **어** 갈 **지** 사귈 **교**

물고기와 물의 관계라는 뜻으로, 아주 친밀하여 떨어질 수 없는 사이를 빗대어 이르는 말.

• 나와 해율이는 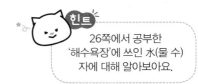 魚 之 交 (수어지교)와 다름없어서 학교에서 늘 붙어 다닌다.

1-1 다음 밑줄 그은 낱말의 뜻으로 알맞은 것에 ◯표를 하세요.

제 존재를, 존재의 위치를 알리는 수단으로 매미는 웁니다. 가장 <u>치열</u>하고 뜨겁게 울어야 짝짓기를 할 수 있고 존재의 의미를 찾을 수 있습니다.

(1) 기세나 세력 따위가 불길같이 맹렬함. ( )

(2) 어떤 목적을 이루기 위한 방법. 또는 그 도구. ( )

(3) 동물 따위의 암수가 짝을 이루거나, 짝이 이루어지게 하는 일. ( )

1-2 다음 친구가 만들어 쓸 문장으로 알맞은 것에 ◯표를 하세요.

'기세나 세력 따위가 불길같이 맹렬함.'이라는 뜻의 낱말을 넣어서 문장을 만들어 볼래.

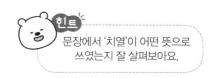

힌트
문장에서 '치열'이 어떤 뜻으로 쓰였는지 잘 살펴보아요.

(1) 언니는 치열이 울퉁불퉁해서 잘 웃지 않았다. ( )

(2) 두 후보는 서로 학생회장이 되려고 치열하게 선거 운동을 하였다. ( )

▶ 정답 및 해설 14쪽

2-1 다음 뜻에 해당하는 낱말을 빈칸에 알맞게 쓰세요.

신청이나 신고 따위를 말이나 문서로 받음.

- 참가 대상: 초등학교 3~6학년 학생
- 참가 방법: 2월 20일까지 참가 신청서를 작성하여 누리집에서 제출 후 참가 (당일 현장 ㅈ ㅅ 안 됨.)

2-2 다음 빈칸에 공통으로 들어갈 낱말을 보기 에서 찾아 ○표를 하세요.

- 대학의 입학 지원서 　　　　가 시작되어 형이 지원서를 내러 갔다.
- 사생 대회 참가 신청서 　　　　가 2시간 후에 끝나니 어서 신청서를 써야 한다.

보기

행사　　　　접수　　　　발표

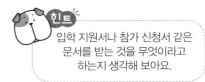

힌트
입학 지원서나 참가 신청서 같은 문서를 받는 것을 무엇이라고 하는지 생각해 보아요.

아무도 모르는 거북이의 비밀

공부한 날   월   일

배경지식을 활용해 글을 읽어라!

「아무도 모르는 거북이의 비밀」은 달리기 경주 도중에 잠이 든 토끼와

경주에서 우승한 거북이의 이야기인 「토끼와 거북이」를 바탕으로 쓴 이야기예요.

자신의 경험이나 예전에 읽어 본 이야기와 같은 배경지식을 활용하면

글 속 인물의 생각과 글쓴이가 전하고자 하는 바를 더 잘 이해할 수 있지요.

◉ 오늘 공부할 글의 그림을 미리 보고, 빈칸에 알맞은 낱말을 각각 찾아 쓰세요.

2주
1일

| 우승 | 우열 | 교만 | 겸손 |

자라는 지난 달리기 대회에서 토끼를 이기고 ❶ ☐☐ 을 했던 거북이에게

↖ 경기, 경주 따위에서
이겨 첫째를 차지함.

또다시 우승을 차지하게 해 주겠다는 약속을 했어요. ❷ ☐☐ 함을 버리고

↖ 잘난 체하며 뽐내고 건방짐.

다시 달리기 대회에 참여한 토끼와 맞붙은 거북이는 어떻게 되었을까요?

「아무도 모르는 거북이의 비밀」 전체 이야기 보기

아무도 모르는 거북이의 비밀

이동택

스스로 독해

점선 부분을 따라 선을 그으며 글을 읽어 보고, 이 글을 읽을 때 알고 있으면 도움이 되는 이야기 「토끼와 거북이」의 내용을 떠올려 보세요.

"네가 약속만 지켰어도 ▾우승은 토끼가 아니라 나였다고. 바로 나!"

"그래. 그랬겠지. 하지만 그렇게 우승하면 떳떳했을까? 나는 오히려 모두가 잠든 시간에 열심히 연습했던 네 노력 덕분에 3등이라는 좋은 결과를 얻었다고 생각해. 그게 진짜 너의 모습이라고."

자라의 말에 나는 아무 말도 하지 못했어. 정말 맞는 말이었거든.

"고, 고마워. 자라야. 그리고 아까 ▾배신자라고 한 거 미안해. 네 덕분에 달리기를 시작할 수 있었고, 우승도 해 보았어. 비록 지난번에는 3등이었지만 그날은 정말 내 인생 최고의 날이었어."

내 말을 들은 자라의 코가 갑자기 반짝였다.

"거북아. 사실 이 코의 진짜 비밀은 우리들의 마음이 자랄 때 반짝인다는 거야." / "마음이 자랄 때?"

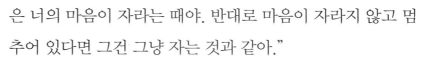

"물론 너의 키도 자라고 달리기 실력도 늘겠지만 내가 가장 기쁜 순간은 너의 마음이 자라는 때야. 반대로 마음이 자라지 않고 멈추어 있다면 그건 그냥 자는 것과 같아."

"아, 그래서 그날 토끼는 잠을 잤던 거구나."

"하지만 이번에는 토끼도 자랐지. ▾교만함을 버리고 열심히 경주해서 1등 했잖아."

"좋아. 나도 계속 자라 갈 거야."

어휘 풀이

▾ **우승** |넉넉할 우 優, 이길 승 勝| 경기, 경주 따위에서 이겨 첫째를 차지함. 또는 첫째 등위.

▾ **배신자** |등 배 背, 믿을 신 信, 사람 자 者| 믿음이나 의리를 저버린 사람. 예 너는 나를 버리고 도망간 배신자야.

▾ **교만** |교만할 교 驕, 게으를 만 慢| 잘난 체하며 뽐내고 건방짐. 예 상을 탄 지수의 교만이 하늘을 찔렀다.

1
이해

다음 중 자라의 생각이 <u>아닌</u> 것은 무엇무엇인가요? (   )

① 거북이도 토끼처럼 교만한 마음을 가져야 한다.

② 자라가 가장 기쁜 순간은 거북이의 마음이 자라는 때이다.

③ 다음번에는 반드시 거북이가 달리기 대회에서 우승할 것이다.

④ 거북이는 스스로의 노력 덕분에 3등이라는 좋은 결과를 얻었다.

⑤ 마음이 자라지 않고 멈추어 있다면 그것은 그냥 자는 것과 같다.

2
유추

스스로 독해 해결!

이 글을 읽을 때 도움이 되는 배경지식을 알맞게 떠올린 친구는 누구인지 쓰세요.

토끼가 자라에게 속아 용궁에 가서 간을 빼앗길 위기에 처했던 이야기 「토끼와 자라」의 내용을 떠올려 보았더니 이 글이 더 재미있었어.

거북이가 열심히 달려서 달리기 경기 도중 잠든 토끼를 제치고 우승을 했다는 내용의 「토끼와 거북이」를 떠올려 보았더니 이 글을 더 쉽게 이해할 수 있었어.

힌트
거북이와 자라의 대화 내용에 어울리는 배경지식을 찾아봐요.

지욱   초아   (   )

3
이해

서술형

자라의 코에 담긴 진짜 비밀은 무엇인지 쓰세요.

_____ 때 반짝인다는 것이다.

4
요약

이 글에서 일어난 일을 정리하여 빈칸에 알맞은 말을 각각 쓰세요.

또다시 달리기 대회에 참가한 ❶   는 비록 3등을 했지만, 자

라의 말을 듣고 우승보다 더 중요한 것은 ❷   이 자라는 것이라는 사

실을 깨달았다.

1 다음 밑줄 그은 낱말을 각각 소리 나는 대로 쓰세요.

(1) "내가 가장 기쁜 순간은 너의 마음이 자라는 때야."

　　　　　↳ [　　　　　　　]

(2) "아, 그래서 그날 토끼는 잠을 잤던 거구나."

　　　　　↳ [　　　　　　　]

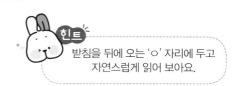

힌트
받침을 뒤에 오는 'ㅇ' 자리에 두고
자연스럽게 읽어 보아요.

2 「아무도 모르는 거북이의 비밀」에 쓰인 다음 문장에서 밑줄 그은 '자라'의 뜻으로 알맞은 그림을 각각 선으로 이으세요.

(1) 　내 말을 들은 자라의 코가 갑자기 반짝였다.　·

(2) "좋아. 나도 계속 자라 갈 거야."　·

→ 생물이 생장하거나 성숙하여지다.

· ①

· ②

↳ 푸르스름한 회색의 등딱지가 있고 꼬리가 짧고 주둥이는 뾰족한 동물.

3 다음 밑줄 그은 낱말과 뜻이 비슷한 낱말과 반대인 낱말을 보기 에서 각각 찾아 쓰세요.

"교만함을 버리고 열심히 경주해서 1등 했잖아."

보기

오만 태도나 행동이 건방지거나 거만함.
겸손 남을 존중하고 자기를 내세우지 않는 태도가 있음.
민감 자극에 빠르게 반응을 보이거나 쉽게 영향을 받음.

(1) 뜻이 비슷한 낱말: (　　　　　　　)

(2) 뜻이 반대인 낱말: (　　　　　　　)

◉ 「토끼와 거북이」의 내용을 담은 다음 그림을 보고, 숨어 있는 그림을 모두 찾아 ◯표를 해 보세요.

 숨어 있는 그림: 도넛, 야구공, 야구 방망이, 왕관, 자

 「아무도 모르는 거북이의 비밀」을 읽을 때 알고 있으면 도움이 되는 이야기인 **「토끼와 거북이」의 내용**을 떠올리며, 숨어 있는 그림을 모두 찾아 표시해 봅니다.

2일 점, 선, 면

수학 (비문학)

공부한 날   월   일

설명하는 글을 요약해 보자!

「점, 선, 면」을 읽고, 점, 선, 면의 각 특징을 알기 위해
꼭 필요한 부분을 정리해 글의 내용을 요약해 보세요.
설명하는 글을 요약할 때에는 대상을 설명하는 방법이 무엇인지 확인하고,
중요하지 않은 내용은 지워야 해요.

◉ 오늘 공부할 글의 사진과 그림을 미리 보고, 빈칸에 알맞은 말을 보기 에서 각각 찾아 쓰세요.

보기

폭　　입체 도형　　산수화　　평면 도형　　면　　추상화

❶ [　] [　]　[　] [　]

삼차원 공간에서 부피를 가지는 도형.
예 면이 여러 개 모이면 ○○ ○○이 된다.

❷ [　]

평면이나 넓은 물체의 가로로 건너지른 거리.
예 선은 ○이 없다.

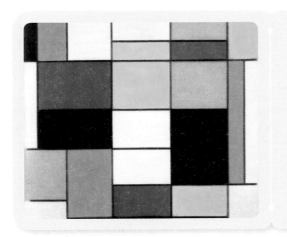

❸ [　] [　] [　]

미술에서, 사물을 사실적으로 그리지 않고 점, 선, 면, 색 등으로 표현하는 그림.
예 ○○○는 점, 선, 면을 이용해 그린 그림이다.

점, 선, 면

점이 움직이면 하나의 선이 되고, 선이 움직인 자리는 면이 돼. 면이 여러 개 모이면? 맞아, 바로 입체 도형이 된단다.

다르게 말하자면 점은 위치를 나타내고, 선은 길이를 나타내고, 면은 넓이를 나타내는 거란다. 그런데 점, 선, 면의 특징은 이것들이 갖고 있지 않은 것들을 알아보면 좀 더 확실하게 이해할 수 있어. 즉, 점은 크기가 없고, 선은 폭이 없고, 면은 두께가 없다는 특징 말이야.

오래전부터 사람들은 우리가 사는 세상이 점, 선, 면으로 구성되어 있다고 믿어 왔어. 따라서 점, 선, 면이 조화롭게 어울린 모습은 수학에서뿐만 아니라 우리 주위에서도 쉽게 찾을 수 있단다. 추상화는 점, 선, 면을 이용해 그린 그림이지.

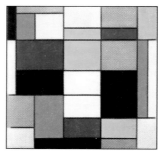

▲ 몬드리안의 추상화 「구성 A」

어휘 풀이

▼ **입체 도형** |설 입 立, 몸 체 體, 그림 도 圖, 형상 형 形| 삼차원 공간에서 부피를 가지는 도형.
 예 입체 도형에는 원기둥, 사각기둥, 삼각뿔, 사각뿔 등이 있다.

▼ **폭** |폭 폭 幅| 평면이나 넓은 물체의 가로로 건너지른 거리. 예 학교 앞 도로의 폭이 넓다.

▼ **조화** |고를 조 調, 화목할 화 和| **롭게** 서로 잘 어울려 모순됨이나 어긋남이 없게.
 예 바지와 신발 색깔이 조화롭게 어울린다.

▼ **추상화** |뺄 추 抽, 코끼리 상 象, 그림 화 畵| 미술에서, 사물을 사실적으로 그리지 않고 점, 선, 면, 색 등으로 표현하는 그림. 예 피카소의 추상화를 직접 보았다.

1 점, 선, 면에 대한 설명으로 알맞지 <u>않은</u> 것은 무엇무엇인가요? (   )

이해

① 선이 움직인 자리는 면이 된다.

② 점이 움직이면 하나의 선이 된다.

③ 면이 여러 개 모이면 입체 도형이 된다.

④ 점, 선, 면이 조화롭게 어울린 모습은 수학에서만 찾을 수 있다.

⑤ 사람들은 우리가 사는 세상이 점으로만 구성되어 있다고 믿었다.

2 입체 도형으로 알맞은 것에 ◯표를 하세요.

어휘

(1)

(2)

(   )   (   )

> **힌트**
> 삼각형은 평면
> 도형이고 사각기둥은
> 입체 도형이에요.

3 (서술형)

이해 이 글에서 추상화는 무엇을 이용해 그린 그림이라고 하였는지 쓰세요.

_____ 그린 그림이다.

4 스스로 독해 (해결!)

요약 점, 선, 면의 각 특징을 설명하기 위해 꼭 필요한 부분을 요약하여 빈칸에 알맞은 말을 각각 쓰세요.

점	위치를 나타내며 ❶ 가 없다.
선	길이를 나타내며 ❷ 이 없다.
면	넓이를 나타내며 ❸ 가 없다.

1 보기 를 보고, 다음 낱말의 빈칸에 공통으로 들어갈 글자는 무엇인지 쓰세요.

보기

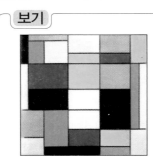

추상화 미술에서, 사물을 사실적으로 그리지 않고 점, 선, 면, 색 등으로 표현하는 그림.

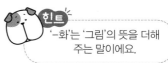

힌트
'-화'는 '그림'의 뜻을 더해 주는 말이에요.

• 풍경⬜ : 자연의 경치를 그린 그림.

• 인물⬜ : 사람을 주제로 하여 그린 그림.

• 정물⬜ : 과일, 꽃, 화병 따위의 스스로 움직이지 못하는 물체들을 놓고 그린 그림.

(   )

2 다음 밑줄 그은 표현은 모두 '선'이라는 낱말이 들어간 관용 표현이에요. 각 표현의 뜻으로 알맞은 것을 각각 선으로 이으세요.

(1) 그는 아버지의 친구에게 <u>선을 대어</u> 일자리를 얻었다. •

(2) 갖가지 사건을 겪어 <u>선이 굵은</u> 그는 웬만한 일에는 놀라지 않는다. •

(3) 그 남자는 <u>선이 가늘어서</u> 몸을 쓰는 일을 하는 사람이라고는 믿을 수 없었다. •

 • ① 생김새가 연약하고 섬세하다.

 • ② 어떤 인물이나 단체와 관계를 가지다.

 • ③ 성격이나 행동 따위가 대범하거나 통이 크다.

● 퍼즐에 빈 곳이 있어요. 입체 도형의 이름에 알맞은 조각을 ㉠～㉣ 중에서 골라 기호를 쓰세요.

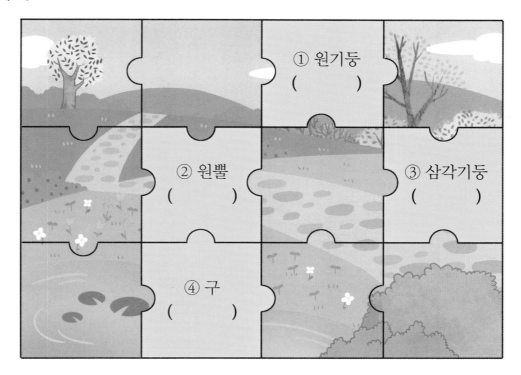

2주
2일

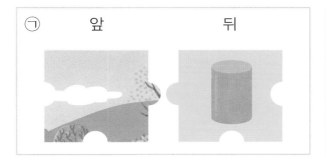

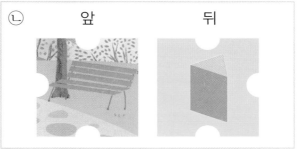

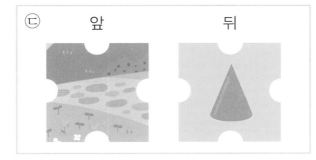

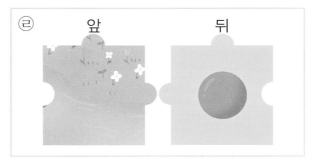

「점, 선, 면」을 읽고, 면이 여러 개 모여서 만들어진 **다양한 입체 도형의 모양**을 알아봅니다.

매미

수필을 읽고 새로운 시각을 얻어라!

수필에는 인생과 자연에 대한 글쓴이의 생각이 녹아 있어요.

글쓴이의 생각을 자신의 삶과 비교해 보면 새로운 시각을 얻을 수 있지요.

수필 「매미」에서 글쓴이가 매미 소리를 대하는 태도를 살펴보면,

시끄럽게만 들렸던 매미 소리를 다른 시각으로 바라보게 될 거예요.

똑똑한 하루 독해 미리 보기

◉ 오늘 공부할 글과 그림을 미리 보고, 알맞은 낱말을 각각 찾아 표시하세요.

도시의 매미는 시골 매미보다 더 악착스럽게 울어 댑니다. 매미 소리를 소음 공해로 분류해야 한다는 분들도 있습니다. 시골에서는 한여름 정취를 느끼게 해 주는 서늘한 소리로 들리는데 도시에서는 악을 쓰고 울어 대는 소리로만 들립니다.

1 '매우 모질고 끈덕지게 일을 해 나가는 태도가 있게.'라는 뜻의 낱말을 찾아 ◯표를 하세요.

2 '깊은 정서를 자아내는 흥과 취미.'라는 뜻의 낱말을 찾아 △표를 하세요.

3 '있는 힘을 다하여 모질게 마구 쓰는 기운.'이라는 뜻의 낱말을 찾아 ☐표를 하세요.

매미에 대해
알아보기

매미

도종환

스스로 독해

매미 소리에 대한 글쓴이의 생각이 잘 드러난 부분은 어디일까요? 점선 부분을 따라 선을 그으며 글을 읽어 보고, 글쓴이는 매미 소리를 어떠한 시각으로 보고 있는지 떠올려 보세요.

매미 소리가 요란한 아침입니다. 밤새 매미 소리 때문에 잠 못 드는 분들도 많으실 겁니다. 도시의 매미는 시골 매미보다 더 ▼악착스럽게 울어 댑니다. 매미 소리를 ▼소음 공해로 분류해야 한다

는 분들도 있습니다. 시골에서는 한여름 정취를 느끼게 해 주는 서늘한 소리로 들리는데 도시에서는 ▼악을 쓰고 울어 대는 소리로만 들립니다.

매미의 생애 중에 몸을 받아 태어나 살아 있는 여름의 한 주일은 가장 중요한 하루하루입니다. 그 시기 안에 짝짓기를 하고 알을 낳고 세상을 떠납니다. 제 존재를, 존재의 위치를 알리는 수단으로 매미는 웁니다. 가장 ▼치열하고 뜨겁게 울어야 짝짓기를 할 수 있고 존재의 의미를 찾을 수 있습니다. 그런데 도시에서는 자동차 소리를 비롯한 각종 소음 때문에 제 날갯짓하는 소리가 잘 전달되지 않는다고 생각하는가 봅니다. 저렇게 악을 쓰며 울어 대는 걸 보면.

살 수 있는 날이 딱 일주일밖에 주어지지 않았다면 우리는 어떻게 했을까요? 우리는 어떤 몸짓, 어떤 소리를 질렀을까요? 우리 역시 그 기간을 가장 치열하고 뜨겁게 살려고 몸부림치지 않았을까요?

어휘 풀이

▼**악착**|악착할 악 齷, 악착할 착 齪|**스럽게** 매우 모질고 끈덕지게 일을 해 나가는 태도가 있게.
　　예 그는 어린 나이에도 악착스럽게 돈을 모았다.

▼**소음 공해**|떠들 소 騷, 소리 음 音, 공변될 공 公, 해로울 해 害| 불쾌하고 시끄러운 소리 때문에 사람이나 생물이 입는 여러 가지 피해. 예 비행장의 소음 공해 때문에 잠을 잘 수가 없다.

▼**악** 있는 힘을 다하여 모질게 마구 쓰는 기운. 예 그는 힘든 상황을 악으로 버텼다.

▼**치열**|성할 치 熾, 세찰 열 烈| 기세나 세력 따위가 불길같이 맹렬함. 예 언니는 치열하게 공부했다.

1
이해

다음은 '시골'과 '도시' 중 어느 곳에서의 매미 소리에 대한 설명인지 빈칸에 각각 알맞은 장소를 쓰세요.

(1)	악을 쓰고 울어 대는 소리로 들린다.
(2)	한여름 정취를 느끼게 해 주는 시원한 소리로 들린다.

2
이해

서술형

글쓴이가 생각하는, 매미가 도시에서 더 시끄럽게 우는 까닭을 쓰세요.

도시에서는 _____ 때문에
제 날갯짓하는 소리가 잘 전달되지 않는다고 생각하기 때문이다.

3
유추

스스로 독해 해결!

이 글을 읽고, 매미 소리에 대해 글쓴이와 비슷한 생각을 이야기한 친구의 이름에
◯표를 하세요.

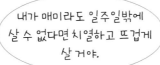

내가 매미라도 일주일밖에
살 수 없다면 치열하고 뜨겁게
살 거야.

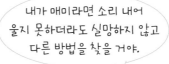

내가 매미라면 소리 내어
울지 못하더라도 실망하지 않고
다른 방법을 찾을 거야.

민교

성아

힌트
매미 소리에 대한 글쓴이의
생각을 떠올려 봐요.

4
요약

이 글에서 매미가 우는 까닭을 정리하여 빈칸에 알맞은 말을 각각 쓰세요.

몸을 받아 일주일밖에 살지 못하는 ❶ [   ] 는 짝짓기를 하고 ❷ [   ]

의 의미를 찾기 위해 치열하고 뜨겁게 운다.

1 보기 에 나타난 '한–'의 두 가지 뜻을 살펴보고, 각 문장에서 '한–'이 ①과 ②에 사용된 '한–' 중 어떤 뜻으로 쓰였는지 각각 번호를 쓰세요.

보기

① 한여름 더위가 한창인 여름.
　　→ '정확한' 또는 '한창인'의 뜻을 더하는 말

② 한걱정 큰 걱정.
　　→ '큰'의 뜻을 더하는 말

(1) 한겨울 추위에 대비해 따뜻한 옷을 샀다. (　　　)
　　→ 추위가 한창인 겨울.

(2) 잃어버렸던 강아지를 찾고 한시름을 놓았다. (　　　)
　　→ 큰 시름.

(3) 오전이 지나고 한낮이 되자 햇볕이 뜨겁게 내리쬐었다. (　　　)
　　→ 낮의 한가운데. 곧, 낮 열두 시를 전후한 때를 이름.

2 다음 문장에 공통으로 들어갈 수 있는 낱말의 기본형에 ○표를 하세요.

- 글자를 지울 때는 지우개를 　　　　　　　.

- 도시의 매미는 악을 　　　　　　　 울어 댄다.

- 지아는 장난감을 사는 데 많은 돈을 　　　　　　　.

- 그는 손을 심하게 다쳐서 한동안 손을 　　　　　　　 못했다.

(쓰다 , 떨다 , 밀다 , 먹다)

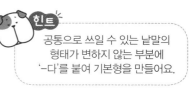

힌트

공통으로 쓰일 수 있는 낱말의
형태가 변하지 않는 부분에
'–다'를 붙여 기본형을 만들어요.

● 곤충의 한살이 과정은 번데기 단계의 유무에 따라 완전 탈바꿈과 불완전 탈바꿈으로 나누어 볼 수 있어요. 매미의 한살이에 대한 설명을 보고, 매미의 한살이 과정으로 알맞은 설명에 ○표를 하세요.

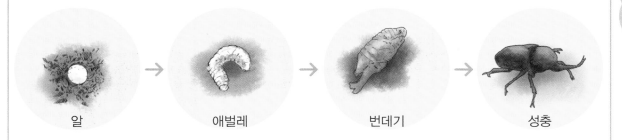

완전 탈바꿈 (예 장수풍뎅이) : 곤충의 한살이 과정 중 번데기 과정을 거치는 것.

알 → 애벌레 → 번데기 → 성충

불완전 탈바꿈 (예 잠자리) : 곤충의 한살이 과정 중 번데기 과정을 거치지 않는 것.

알 → 애벌레 → 성충

암컷 매미가 나무껍질 등에 알을 낳으면 그 알에서 애벌레가 나와. 이 애벌레가 땅속으로 들어가 몇 년 간 자라다가 밖으로 나와 허물을 벗으면 우리가 아는 매미가 되지.

 매미는 성충이 되기 위해 (완전 탈바꿈 , 불완전 탈바꿈)을 해요.

 「매미」를 읽고 매미가 치열하고 뜨겁게 우는 까닭을 떠올려 보며, **매미의 한살이**에 대해서도 알아봅니다.

으랏차차, 씨름

공부한 날 　 월 　 일

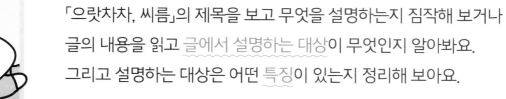

「으랏차차, 씨름」의 제목을 보고 무엇을 설명하는지 짐작해 보거나
글의 내용을 읽고 글에서 설명하는 대상이 무엇인지 알아봐요.
그리고 설명하는 대상은 어떤 특징이 있는지 정리해 보아요.

● 오늘 공부할 글의 그림을 미리 보고, 빈칸에 알맞은 낱말을 각각 찾아 쓰세요.

생일날   단옷날   샅바   머리

씨름은 ❶ [　][　][　] 이나 음력 7월 보름, 추석 때에 즐기던 놀이로, 허리

　　　↳ 우리나라 명절의 하나. 음력 5월 5일.

에 감은 서로의 ❷ [　][　] 를 붙잡고, 먼저 상대방을 쓰러뜨리는 쪽이 이기는

　　　↳ 씨름에서, 허리와 다리에 둘러 묶어서 손잡이로 쓰는 천.

경기예요.

우리 전통 놀이인 씨름에 대해 더 알아봐요.

씨름에 대하여
더 알아보기

으랏차차, 씨름

스스로 독해

이 글은 무엇의 특징에 대해 설명하는 글인가요? ◯ 속 낱말을 색칠하면서 설명하는 대상을 알아보아요.

단옷날에 남자들은 씨름을 즐겼어요. 마을 사람들은 이웃 마을 사람들과 서로 힘을 자랑하며 씨름판을 벌였어요. 모래밭이나 잔디밭에서 허리에 감은 서로의 샅바를 붙잡고, 먼저 상대방을 쓰러뜨리는 쪽이 이기는 거예요.

또 해마다 음력 7월 보름이나 추석 때에는 각 지방에서 내로라하는 힘센 장사들이 모여 수많은 사람들 앞에서 힘을 겨루기도 했어요. 여기에서 우승한 사람은 '천하장사'로 불리며, 황소 한 마리를 상으로 받기도 했어요.

씨름은 ㉠까마득히 먼 옛날부터 전해 내려온 놀이예요. ㉡4~5세기에 만들어진 고구려의 각저총에는 씨름하는 장면이 그려져 있지요. 이걸 보면 적어도 고구려 시대에도 씨름을 즐겼다는 것을 알 수 있어요. 그 후 고려 시대와 조선 시대에는 더 많은 사람들이 씨름을 즐겼어요.

오늘날 씨름은 운동 경기로 벌어지기도 해요. 또 씨름과 비슷한 것이 일본과 중국, 몽골에도 있지요.

어휘 풀이

▼ **단옷**│바를 단 端, 낮 오 午│**날** 　우리나라 명절의 하나. 음력 5월 5일로, 단오떡을 해 먹고 여자는 창포물에 머리를 감고 그네를 뛰며 남자는 씨름을 함. ㉑ 단옷날에 민속촌에서 그네를 타 보았다.

▼ **샅바** 　씨름에서, 허리와 다리에 둘러 묶어서 손잡이로 쓰는 천.

▼ **음력**│응달 음 陰, 책력 력 曆│ 　달이 지구를 한 바퀴 도는 시간을 기준으로 만든 역법. ㉑ 부모님께서는 음력 생일을 지내신다.

▼ **내로라하는** 　어떤 분야를 대표할 만한. ㉑ 내로라하는 배우들이 모두 출연하였다.

▲ 샅바

1
이해

씨름을 하는 방법을 바르게 설명한 친구의 이름에 ◯표를 하세요.

편을 나누어 새끼줄을 꼬아 만든 굵은 줄을 잡아당겨 상대편을 끌어오면 이기는 놀이야.

예솔

진우

모래밭이나 잔디밭에서 허리에 감은 서로의 샅바를 붙잡고, 먼저 상대방을 쓰러뜨리는 쪽이 이기는 놀이야.

2주
4일

2
어휘

㉠'까마득히'의 뜻으로 알맞은 것에 ◯표를 하세요.

힌트
낱말 앞뒤의 내용을 살펴보면 낱말의 뜻을 짐작할 수 있어요.

(1) 시간이 아주 오래되어 기억이 희미하게. (   )

(2) 빈 데가 없을 만큼 사람이나 물건 따위가 많은 모양. (   )

3
이해

서술형

글쓴이가 ㉡을 근거로 짐작한 내용은 무엇인지 쓰세요.

4~5세기에 만들어진 고구려의 각저총에 그려진 씨름하는 장면을 보면 적

어도 고구려 시대에도 ＿＿＿＿＿＿＿＿＿＿＿＿＿＿＿＿＿＿＿＿ 알 수 있다.

4
요약

스스로 독해 해결!

이 글에서 설명하는 대상의 특징을 정리하여 빈칸에 알맞은 말을 각각 쓰세요.

설명하는 대상	❶ ▢▢
설명하는 대상의 특징	• 모래밭이나 잔디밭에서 허리에 감은 서로의 ❷ ▢▢ 를 붙잡고, 먼저 상대방을 쓰러뜨리는 쪽이 이기는 것이다. • 단옷날에 남자들은 씨름을 즐겼고, 음력 7월 보름이나 추석 때에는 각 지방에서 힘센 장사들이 모여 힘을 겨루기도 하였다. • 먼 옛날부터 전해 내려온 ❸ ▢▢▢ 이다. • 오늘날에는 운동 경기로 벌어지기도 하며, 비슷한 것이 일본과 중국, 몽골에도 있다.

1 다음은 보기 처럼 두 낱말이 하나로 합해지면서 'ㅅ'이 덧붙는 낱말이에요. 빈칸에 각각 알맞은 낱말을 쓰세요.

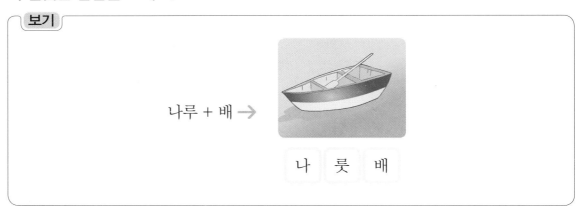

보기

나루 + 배 →

| 나 | 룻 | 배 |

(1) 단오 + 날 →

(2) 나무 + 가지 →

힌트
두 낱말을 하나로 합할 때 두 낱말 사이에 받치어 적는 'ㅅ'을 사이시옷이라고 해요.

2 다음 밑줄 그은 낱말을 바르게 쓴 사람의 이름에 ○표를 하세요.

옛날에는 각 지방의 <u>내노라하는</u> 장사들이 모여 씨름으로 힘을 겨뤘대.

정호

그렇게 <u>내로라하는</u> 사람들 중에서 우승한 사람에게는 황소 한 마리를 상으로 주기도 했대.

수현

힌트
밑줄 그은 낱말을 '내놓다'에서 나온 말로 생각해 틀리게 쓰는 경우가 많으니 조심해요.

◉ 다음 그림은 조선 시대의 화가 김홍도의 작품이에요. 사람들이 하는 말을 읽고, ? 에 들어갈 그림으로 알맞은 것에 ○표를 하세요.

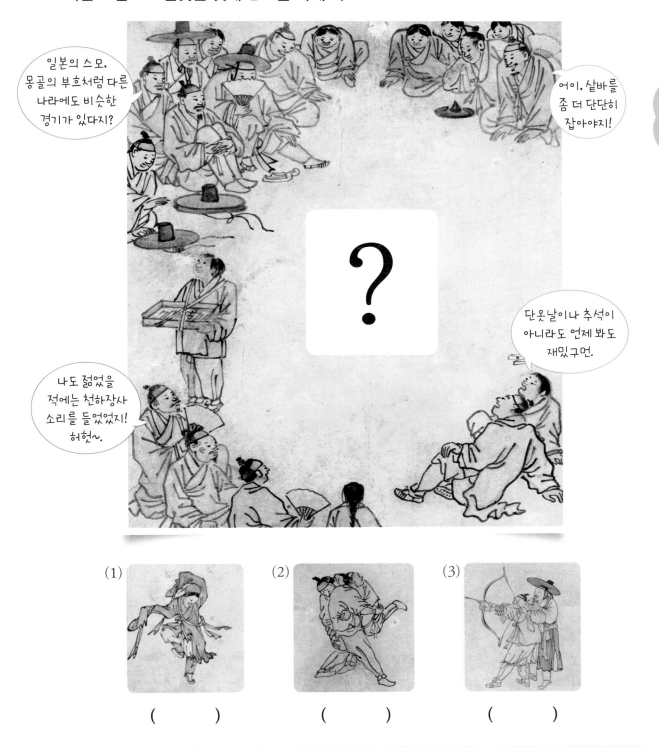

(1) (   )

(2) (   )

(3) (   )

 「으랏차차, 씨름」의 내용을 떠올리며, **그림 속 사람들이 어떤 놀이를 구경하고 있는지 유추**해 봅니다.

나라 사랑 백일장 및 사생 대회

공부한 날   월   일

 내용을 꼼꼼하게 살펴보며 자세히 글을 읽자!

필요한 정보가 담긴 글은 내용을 자세히 살펴봐야 해요.

놓친 내용은 없는지 확인하고, 중요한 내용에는 밑줄을 그어 가며

꼼꼼히 확인하고 자세히 읽어야 해요.

그럼 꼼꼼하게 「나라 사랑 백일장 및 사생 대회」를 읽어 볼까요?

● 오늘 공부할 글의 그림을 미리 보고, 빈칸에 알맞은 낱말을 보기 에서 각각 찾아 쓰세요.

2주
5일

보기

참가	제출	개최	백일장	오일장

❶

국가나 단체에서, 글짓기를 장려하기 위하여 실시하는 글짓기 대회.

例 나라 사랑 ○○○ 및 사생 대회를 알리는 안내문이 붙었습니다.

❷

모임, 행사, 경기 따위를 조직적으로 계획하여 엶.

例 사생 대회를 아래와 같이 ○○합니다.

❸

어떤 안건이나 의견, 서류 등을 내놓음.

例 참가 신청서를 작성하여 누리집에서 ○○ 후 참가

백일장에 대하여
더 알아보기

스스로 독해

나라 사랑 백일장 및 사생 대회에 참가하려면 어떻게 해야 할까요? ▢ 속 말에 밑줄을 그으며, 알아야 할 내용들을 꼼꼼히 읽어 봐요.

나라 사랑 백일장 및 사생 대회

○○시에서는 3. 1 운동을 기념하여 우리나라를 사랑하는 마음을 기르고 마음껏 표현할 수 있도록 나라 사랑 백일장 및 사생 대회를 아래와 같이 개최합니다.

참가 안내

- 일시: 20○○년 3월 1일 (토) 10:00
- 장소: 민들레공원 어린이광장
- 참가 대상: 초등학교 3~6학년 학생
- 참가 방법: 2월 20일까지 참가 신청서를 작성하여 누리집에서 제출 후 참가 (당일 현장 접수 안 됨.)
- 주제: 나라 사랑 / 자랑스러운 대한민국
- 준비물: 필기구 및 그림 그리기 도구
- 드리는 물품: 원고지, 도화지, 도시락

시상 내역

최우수	○○시장상	각 1명	문화 상품권 10만 원 및 상품
우수	○○교육감상	각 3명	문화 상품권 5만 원 및 상품

어휘 풀이

▼**백일장**|흰 백 白, 날 일 日, 마당 장 場|　국가나 단체에서, 글짓기를 장려하기 위하여 실시하는 글짓기 대회.
　예 수영이는 교내 백일장에서 장려상을 받았다.

▼**사생**|베낄 사 寫, 날 생 生|　실물이나 경치를 있는 그대로 그리는 일. 예 동생이 사생 대회에서 상을 받았다.

▼**개최**|열 개 開, 재촉할 최 催|　모임, 행사, 경기 따위를 조직적으로 계획하여 엶. 예 올림픽을 개최하였다.

▼**제출**|끌 제 提, 날 출 出|　어떤 안건이나 의견, 서류 등을 내놓음. 예 선생님께 보고서를 제출하였다.

▼**접수**|접할 접 接, 받을 수 受|　신청이나 신고 따위를 말이나 문서로 받음. 예 누나가 입학 원서를 접수하였다.

1
어휘

다음에서 설명하는 대회로 알맞은 것에 ◯표를 하세요.

실물이나 경치를 있는 그대로 그려 그 실력을 겨루는 대회.

(백일장 , 사생 , 논술 , 웅변) 대회

2
이해

서술형

◯◯시에서 나라 사랑 백일장 및 사생 대회를 여는 까닭을 쓰세요.

3. 1 운동을 기념하여 _____

_____을 기르고 마음껏 표현
할 수 있도록 하기 위해 대회를 개최하였다.

3
유추

스스로 독해 해결!

이 글을 자세히 읽고 대회 준비를 잘한 친구의 이름에 ◯표를 하세요.

대철: 나는 백일장에 참가하니까 필기구만 준비해 가면 될 것 같아.

선주: 3월 1일에 열리는 대회니까 2월 25일쯤에 참가 신청서를 내면 되겠지?

지한: 초등학교 2학년인 동생도 사생 대회에 나가고 싶다고 해서 내가 참가
신청서를 대신 내 주기로 했어.

힌트
참가 대상, 참가 방법, 준비물과 드리는
물품 등을 자세히 살펴봐요.

4
요약

이 글의 중요한 내용은 무엇인지 정리하여 빈칸에 알맞은 말을 각각 쓰세요.

이 글은 '나라 사랑 백일장 및 사생 대회'에 참가하려는 사람들을 위해 일시
및 ❶ _____ , 참가 대상, 참가 ❷ _____ , 주제, ❸ _____ ,
드리는 물품, 시상 내역 등을 알려 주고 있다.

▶ 정답 및 해설 18쪽

1 다음 밑줄 그은 낱말의 뜻을 각각 선으로 이으세요.

(1) 대회 당일에는 현장 접수가 되지 않는다.

(2) 친구들과 모레 아침에 학교에서 만나기로 하였다.

(3) 그저께 저녁에 누나 생일 잔치를 하였다.

① 어제의 전날.

② 내일의 다음 날.

③ 일이 있는 바로 그날.

2 다음 각 문장의 빈칸에 알맞은 낱말을 보기 에서 각각 찾아 쓰세요.

보기

부터   까지

(1) 축구 경기는 1시 ▭▭ 시작이다.

(2) 발표 준비 때문에 내일은 8시 ▭▭ 학교에 도착해야 한다.

힌트

'부터'는 어떤 일이나 상태에 관련된 범위가 시작되는 것을 나타내는 말이고, '까지'는 범위가 끝나는 것을 나타내는 말이에요.

● 다음 세 친구가 잘하거나 좋아하는 일을 보고 어떤 대회에 나가면 될지, 그리고 그 대회
에서는 무엇을 하는지를 각각 알맞게 선으로 이어 가르쳐 주세요.

「나라 사랑 백일장 및 사생 대회」의 내용을 떠올리며, 각각의 친구의 **적성과 흥미에 맞는 대회를 소개**해 봅니다.

[1~3] 다음 글을 읽고, 물음에 답하세요.

> "거북아. 사실 이 코의 진짜 비밀은 우리들의 마음이 자랄 때 반짝인다는 거야."
>
> "마음이 자랄 때?"
>
> "물론 너의 키도 자라고 달리기 실력도 늘겠지만 내가 가장 기쁜 순간은 너의 마음이 자라는 때야. 반대로 마음이 자라지 않고 멈추어 있다면 그건 그냥 자는 것과 같아."
>
> "아, 그래서 그날 토끼는 잠을 잤던 거구나."
>
> "하지만 이번에는 토끼가 자랐지. ㉠교만함을 버리고 열심히 경주해서 1등 했잖아."
>
> "좋아. 나도 계속 자라 갈 거야."

1 '내' 코는 언제 반짝이는지 빈칸에 알맞은 말을 쓰세요.

- 우리들의 ☐☐ 이 자랄 때

2 이 글에 대해 알맞게 말한 친구의 이름에 ○ 표를 하세요.

> 토끼 코의 생김새를 자세히 알고 이 글을 읽었더니 이해하기 쉬웠어.
>
> 우리

> 「토끼와 거북이」의 내용을 생각하며 이 글을 읽었더니 더 재미있었어.
>
> 나라

3 ㉠과 바꾸어 쓸 수 있는 말로 알맞은 것에 ○ 표를 하세요.

(오만 , 겸손)

4 다음 특징에 해당하는 것을 글에서 각각 찾아 쓰세요.

> 점은 위치를 나타내고, 선은 길이를 나타내고, 면은 넓이를 나타내는 거란다. 그런데 점, 선, 면의 특징은 이것들이 갖고 있지 않은 것들을 알아보면 좀 더 확실하게 이해할 수 있어. 즉, 점은 크기가 없고, 선은 폭이 없고, 면은 두께가 없다는 특징 말이야.

(1) 길이를 나타내며 폭이 없다. ☐

(2) 넓이를 나타내며 두께가 없다. ☐

(3) 위치를 나타내며 크기가 없다. ☐

[5~6] 다음 글을 읽고, 물음에 답하세요.

> 매미의 생애 중에 몸을 받아 태어나 살아 있는 여름의 한 주일은 가장 중요한 하루하루입니다. 그 시기 안에 짝짓기를 하고 알을 낳고 세상을 떠납니다. 제 존재를, 존재의 위치를 알리는 수단으로 매미는 웁니다. 가장 치열하고 뜨겁게 울어야 짝짓기를 할 수 있고 존재의 의미를 찾을 수 있습니다.

5 매미가 우는 계절과 기간으로 알맞은 것에 각각 ○표를 하세요.

계절	(1) (여름 , 겨울)
기간	(2) (일주일, 한 달)

▶정답 및 해설 18쪽

6 이 글을 읽고 생각한 점을 알맞게 말한 친구의 이름에 ○표를 하세요.

> 재호: 매미의 울음소리를 시끄럽게만 여겼는데 이 글을 읽고 나도 매미처럼 치열하게 살고 싶다는 생각이 들었어.
> 현아: 매미는 한 주일밖에 살지 못하는 자신의 처지를 슬퍼하고만 있어. 나는 매미처럼 포기하는 삶을 살지 않겠어.

[7~8] 다음 글을 읽고, 물음에 답하세요.

> 단옷날에 남자들은 씨름을 즐겼어요. 마을 사람들은 이웃 마을 사람들과 서로 힘을 자랑하며 씨름판을 벌였어요. 모래밭이나 잔디밭에서 허리에 감은 서로의 샅바를 붙잡고, 먼저 상대방을 쓰러뜨리는 쪽이 이기는 거예요.

7 남자들이 씨름을 즐기던 날은 언제인지 쓰세요.

8 씨름에 대해 정리할 때, 밑줄 그은 부분에 들어갈 말로 알맞은 것에 ○표를 하세요.

> 모래밭이나 잔디밭에서 서로의 샅바를 붙잡고, 먼저 ＿＿＿＿＿＿＿이 이기는 놀이이다.

(1) 상대방을 쓰러뜨리는 쪽　　（　　　）

(2) 상대방의 샅바를 푸는 쪽　　（　　　）

[9~10] 다음 글을 읽고, 물음에 답하세요.

> ○○시에서는 3. 1 운동을 ㉠기념하여 우리나라를 사랑하는 마음을 기르고 마음껏 표현할 수 있도록 나라 사랑 ㉡백일장 및 사생 대회를 아래와 같이 ㉢개최합니다.
>
> **참가 안내**
> - 일시: 20○○년 3월 1일 (토) 10:00
> - 장소: 민들레공원 어린이광장
> - 참가 대상: 초등학교 3~6학년 학생
> - 참가 방법: 2월 20일까지 참가 신청서를 작성하여 누리집에서 제출 후 참가 (당일 현장 접수 안 됨.)
> - 주제: 나라 사랑 / 자랑스러운 대한민국

9 ㉠~㉢ 중 다음 뜻을 가진 낱말의 기호를 쓰세요.

> 모임, 행사, 경기 따위를 조직적으로 계획하여 엶.

（　　　　　　）

10 이 글을 통해 대회에 대해 알 수 있는 내용이 아닌 것은 무엇인가요? （　　　）

① 3월 1일에 열린다.

② 글이나 그림의 주제가 자유롭다.

③ 민들레공원 어린이광장에서 열린다.

④ 당일에는 참가 신청서를 낼 수 없다.

⑤ 초등학생 3~6학년만 참가할 수 있다.

창의

1 다음 만화를 읽고, 2주차에서 배운 낱말을 떠올려 어휘 퀴즈에 알맞은 낱말을 빈칸에 각각 쓰세요.

▶ 정답 및 해설 19쪽

2주
특강

🐻 **어휘 퀴즈**

❶ '믿음이나 의리를 저버린 사람.'을 뜻하는 말은? →

❷ '있는 힘을 다하여 모질게 마구 쓰는 기운.'을 뜻하는 말은? →

❸ '시상식에는 ○○○○○ 가수들이 모두 참석하였다.'의 빈칸에 들어갈 알맞은 말은?

→

융합

2 「점, 선, 면」의 내용을 떠올리며 1부터 8까지의 점들을 차례대로 직선으로 이어 보고, 총 몇 개의 면이 만들어졌는지 빈칸에 숫자로 쓰세요.

 8개의 점을 차례대로 직선으로 이으면　　　개의 면이 만들어져요.

코딩

3 「으랏차차, 씨름」을 읽은 소원이는 박물관 옆 광장에서 민속놀이를 직접 해 보기로 했어요. 소원이가 씨름을 체험할 수 있도록 알맞은 코딩 명령에 ◯표를 하세요.

2주
특강

(1) ▶ 출발하기 버튼을 눌렀을 때
   2 번 반복하기
   ← 방향으로 1 칸 움직이기
   ↓ 방향으로 1 칸 움직이기

   (   )

(2) ▶ 출발하기 버튼을 눌렀을 때
   3 번 반복하기
   ↓ 방향으로 1 칸 움직이기
   ← 방향으로 1 칸 움직이기

   (   )

4 동영상 구독 안내문을 보고 알맞은 낱말을 각각 골라 ○표를 하세요.

생활 어휘

정말 춤이 절로
나오는 영상이네!
친구들도 함께 보면
좋겠어.

[리틀천재] 모야몽 영어 인기 동요 영상

조회 수 1만 회 · 1개월 전

구독

리틀천재 공식 동영상 모야몽을 ▾구독하시고

최신 영상을 받아 보세요.

영상의 ▾저작권은 리틀천재에 있으며

▾무단 사용을 금지하고 있으니 이해해 주세요.

누리집에 영상을
가져가서 친구들이
보게 하자. 그런데
저작권이 있다는 게
무슨 말이지?

　얘들아! 저작권은 그것을 (1) (본 , 만든) 사람이 가지는 권리를 말해. 이 영상의 저작권은 '리틀천재'가 가지고 있네. 그리고 무단 사용은 금지라니까 사용하기 전에 (2) (거절 , 허락)을 받지 않고 함부로 자기 누리집에 영상을 가져가 사용하면 안 되겠어. 조심해.

어휘 풀이

▾**구독**|살 구 購, 읽을 독 讀|　책이나 신문, 잡지 따위를 구입하여 읽음.

　　예 영상에 <u>구독</u> 신청 표시를 눌렀다.

▾**저작권**|나타날 저 著, 지을 작 作, 권세 권 權|　창작물에 대해 그것을 만든 사람이나 그 권리를 이어받은 사람 이 가지는 권리. 예 <u>저작권</u>을 보호해야 한다.

▾**무단**|없을 무 無, 끊을 단 斷|　사전에 허락이 없음. 또는 아무 까닭이 없음.

　　예 건널목을 <u>무단</u>으로 건넜다.

▶ 정답 및 해설 19쪽

창의 5 **생활 한자**

和(화목할 화) 자에 대해 알아보고, 다음 물음에 답하세요.

和 자는 벼와 입, 피리 모양을 그려서 '화목하다'의 뜻을 표현한 글자예요.

(1) 和 자가 들어간 낱말을 알아보고, 한자의 음을 쓰세요.

① 에너지 문제가 세계의 平和를 위협하고 있다.

평

> **힌트**
> 62쪽에서 공부한 '조화롭게'에 쓰인 和(화목할 화) 자에 대해 알아보아요.

② 아버지께서 동생과 和解하라고 말씀하셨다.

해

(2) 한자 성어의 뜻을 알아보고, 빈칸에 알맞은 한자를 쓰세요.

和 氣 靄 靄
화목할 **화**　기운 **기**　아지랑이 **애**　아지랑이 **애**

온화하고 화목한 분위기가 넘쳐흐름.

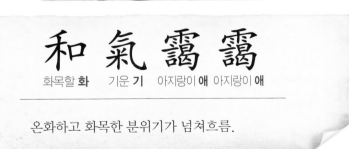

• 우리 가족은 [　] 氣 靄 靄 (화기애애)한 분위기 속에서 아빠의 생신

을 축하해 드렸다.

1-1 다음 문장에 넣을 바른 낱말을 골라 ○표를 하세요.

두뇌 활동을 많이 할수록 뇌가 빨리 뜨거워지기 때문에 이를 식혀 주려면 찬 외부 공기를 마시고 뜨거운 (체내 , 체외) 공기를 밖으로 빼내야 해서 하품이 필요하다고 짐작했어요.

1-2 다음 **친구가 쓴 문장** 에서 밑줄 그은 낱말을 바르게 고쳐 쓰세요.

친구가 쓴 문장

채내에 물이 부족하지 않도록 매일 충분한 양의 물을 마셔 주어야 한다.

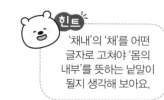

힌트
'채내'의 '채'를 어떤 글자로 고쳐야 '몸의 내부'를 뜻하는 낱말이 될지 생각해 보아요.

채 내 ➡ □ □

▶ 정답 및 해설 20쪽

2-1 다음 보기 의 뜻을 지닌 낱말을 골라 ◯표를 하세요.

> 보기
>
> 아주 많은 분량이나 수량.

옛날에 안성에서는 두 가지 종류의 유기를 만들었어요. 장에 내다 팔기 위해 (소량 , 대량)으로 만든 그릇인 '장내기'와 양반들의 주문을 받아 만든 그릇인 '맞춤'이에요.

2-2 다음 사진을 보고, 문장의 빈칸에 들어갈 낱말을 보기 에서 골라 쓰세요.

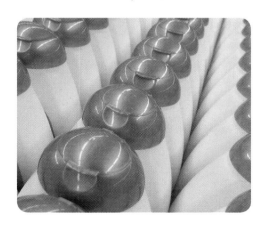

> 보기
>
> 대략   대량

공장에서는 물건을 　　　　　 으로 만들어요.

힌트
'아주 많은 분량이나 수량.'이라는 뜻을 가진 낱말을 찾아보아요.

바리공주

공부한 날   월   일

인물이 겪은 일을 차례대로 정리해 보자!

「바리공주」는 입에서 입으로 전해져 온 옛이야기인 설화랍니다.
일이 일어난 시간이나 장소를 찾아보고 시간이나 장소에 따라
인물이 한 일을 정리하며 「바리공주」를 읽어 보세요.

◉ 오늘 공부할 글의 그림을 미리 보고, 빈칸에 알맞은 낱말을 각각 찾아 쓰세요.

철창　　　돌함　　　불사약　　　무지개

어비 대왕은 왕비가 일곱 번째로 공주를 낳자 아기를 ❶[　　　]에 넣어 강
↳ 돌로 만든 함.

에 버렸어요. 세월이 흘러 왕과 왕비는 병에 걸리게 되었고, 버림을 받았던 바리공

주는 부모님의 소식을 듣고 찾아와 병을 낫게 할 ❷[　　　]과 약수를 구
↳ 먹으면 죽지 않고 오래 살 수 있다는 약.

해 오겠다며 서역국 삼신산으로 떠났어요. 바리공주에게 어떤 일이 일어날까요?

이 이야기와 같은
설화에 대하여
알아보기

바리공주

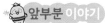

스스로 독해

바리공주가 간 장소
는 어디일까요?
◯ 속 낱말을 색칠하며
장소에 따라 인물이
겪은 일을 차례대로
정리해 보세요.

🐻 **앞부분 이야기**

아들을 바랐던 어비 대왕은 왕비가 공주만 여섯을 내리 ⊙낳고 일곱 번째도 공주를 낳자 화가 나서 아기를 돌함에 넣어 강에 버렸어요. 세월이 흘러 왕과 왕비는 큰 병에 걸려 서역국 삼신산에 있는 불사약과 약수를 먹어야 나을 수 있었지만 아무도 그곳에 가려고 하지 않았어요. 한편 버려진 바리공주는 바리공덕 할아범과 할멈의 집에서 무사히 지내다 이 소식을 듣고 궁궐로 찾아가 자신이 약을 구해 오겠다고 했어요. 바리공주는 삼신산에 가는 중에 사람으로 변장한 석가모니와 지장보살을 만나 금종과 무지개 열매를 얻어 지옥으로 가는 문을 넘었어요.

지옥에 들어선 바리공주는 철창에 갇힌 많은 사람들을 보고 깜짝 놀랐습니다. 바리공주가 주머니 속에서 금종을 꺼내 흔들자, 맑은 금종 소리에 철창은 산산조각이 나고 말았습니다. 바리공주는 그 자리에 앉아 염불을 외우며, 철창에 갇혔던 사람들이 죄를 뉘우쳐 지옥에서 나갈 수 있도록 도와주었습니다. 그러고는 다시 길을 떠나 바다에 이르렀습니다.

"배가 없으니 어찌 바다를 건너지? 맞아, 무지개 열매가 있었지. 그런데 이걸로 어떻게 하라는 걸까?"

바리공주는 열매를 만지작거리다 그만 바다에 빠뜨리고 말았습니다. 그랬더니 무지개 열매는 바다를 건널 수 있는 무지개 다리로 변했습니다.

🗨️ 어휘 풀이

▼ **돌함**|함 함 函| 돌로 만든 함. 예 중요한 물건을 돌함에 넣어 보관했다.

▼ **서역국**|서녘 서 西, 지경 역 域, 나라 국 國| 중국 서역 지방에 있던 여러 나라를 통틀어 이르는 말. 이 이야기에서는 죽은 사람들이 사는 나라, 신선들이 사는 세상 등을 가리킴.

▼ **불사약**|아닐 불 不, 죽을 사 死, 약 약 藥| 먹으면 죽지 않고 오래 살 수 있다는 약. 예 불사약을 구하러 떠났다.

▼ **염불**|생각할 염 念, 부처 불 佛| 부처의 모습과 공덕을 생각하면서 아미타불을 부르는 일.

1
이해

어비 대왕이 일곱 번째 낳은 공주를 돌함에 넣어 강에 버린 까닭은 무엇인가요?

(   )

① 고칠 수 없는 병이 들었기 때문에

② 더 좋은 부모를 만나기 바랐기 때문에

③ 많은 자식을 키울 형편이 안 됐기 때문에

④ 저승에 가서 약을 구해 오기를 바랐기 때문에

⑤ 아들을 바랐는데 딸이 태어나 화가 났기 때문에

2
문법

㉠'낳고'를 소리 나는 대로 알맞게 쓴 것은 무엇인가요? (   )

① [낫고] 　②[낳코] 　③[나코]

④ [낯고] 　⑤[낮코]

힌트
받침 'ㅎ' 뒤에 'ㄱ', 'ㄷ', 'ㅈ'이 오면
각각 [ㅋ], [ㅌ], [ㅊ]으로 소리 나요.

3
이해

서술형
지옥에 들어선 바리공주가 깜짝 놀란 까닭을 쓰세요.

_____을 보았기 때문이다.

4
요약

스스로 독해 해결!
바리공주가 겪은 일을 정리하여 빈칸에 알맞은 말을 각각 쓰세요.

❶ _____ 에 간 바리공주는 금종을 꺼내 흔들어 철창을 없앴고, 그 자리에서 염불을 외워 철창에 갇혔던 사람들이 지옥에서 나갈 수 있도록 도움.

→ ❷ _____ 에 도착해 어떻게 건너야 할지 고민하다 무지개 열매를 바다에 빠뜨렸는데 이 열매가 무지개 다리로 변함.

▶ 정답 및 해설 20쪽

1 다음 보기 의 낱말을 바르게 사용한 친구의 이름에 ○표를 하세요.

> **보기**
>
> **바래다** 볕이나 습기를 받아 색이 변하다.
>
> **바라다** 생각이나 바람대로 어떤 일이나 상태가 이루어지거나 그렇게 되었으면 하고 생각하다.

경미: 너희들이 숙제를 도와주기를 바랬는데……

국일: 색이 바란 옷을 정리하느라 바빴어.

정현: 공책을 바깥에 두었더니 누렇게 색이 바랬어.

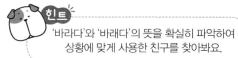

힌트 '바라다'와 '바래다'의 뜻을 확실히 파악하여 상황에 맞게 사용한 친구를 찾아봐요.

2 다음을 참고하여 밑줄 그은 낱말을 소리 나는 대로 각각 쓰세요.

> 겹받침 'ㄹㄱ'이 'ㄱ'이 아닌 다른 자음자 앞이나 말의 끝에 오면 겹받침 'ㄹㄱ'은 [ㄱ]으로 소리가 나요.

하늘 좀 봐! 참 맑다.

(1) 하늘이 맑다.

[   ]

(2) 책을 읽다.

[   ]

▶ 정답 및 해설 20쪽

● 「바리공주」에서 일어난 일을 차례대로 따라가며 선을 그어 보고, 보따리에 있는 글자를 차례대로 합치면 어떤 고사성어가 만들어지는지 빈칸에 알맞게 쓰세요.

왕비가 일곱 번째 공주를 낳자 화가 난 어비 대왕은 아기를 돌함에 넣어 강에 버림. **반**

약을 구하기 위해 지옥에 들어선 바리공주는 금종으로 철창에 갇힌 사람들을 구해 줌. **지**

바리공주가 큰 병에 걸린 부모님을 찾아가 자신이 약을 구해 오겠다며 서역국 삼신산으로 길을 떠남. **포**

바다에 도착한 바리공주는 우연히 무지개 열매를 바다에 빠뜨렸는데 이 열매가 무지개 다리로 변함. **효**

 「바리공주」에서 일어난 일을 차례대로 따라가며 얻은 보따리에 있는 글자를 모두 합치면 '   '라는 고사성어가 만들어져요. 이 고사성어의 뜻은 '자식이 자란 후에 어버이의 은혜를 갚는 효성.'이에요.

이야기 「바리공주」의 내용을 떠올리며 **이 이야기의 주제와 관련한 고사성어**를 알아봅니다.

하품을 가장 길게 하는 동물은?

공부한 날   월   일

⭐생략된 내용을 짐작하며 글을 읽어 보자!

생략된 내용을 짐작하며 「하품을 가장 길게 하는 동물은?」을
읽어 보세요.

글에서 생략된 내용을 짐작할 수 있는 단서를 찾아보고
자신의 경험을 떠올려 보면 된답니다.

● 오늘 공부할 글의 사진을 미리 보고, 빈칸에 알맞은 낱말을 (보기) 에서 각각 찾아 쓰세요.

보기

포유동물　　연체동물　　지능　　외부　　하품

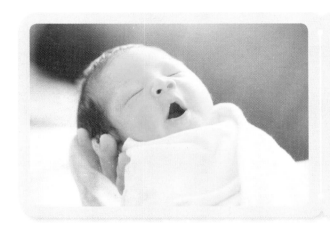

❶

졸리거나 고단하거나 배부르거나 할 때, 절로 입이 벌어지면서 하는 깊은 호흡.
예 ○○을 가장 오래하는 동물은 무엇일까요?

❷

새끼를 낳아 젖으로 기르는 동물.
예 ○○○○이라면 모두 하품을 한다.

❸

사물이나 현상을 이해하고 처리하는 두뇌의 능력.
예 머리가 크고 ○○이 높은 동물일수록 하품 시간이 길다.

하품에 대하여 알아보기

하품을 가장 길게 하는 동물은?

스스로 독해

이 글에서 생략된 내용은 무엇일까요? 점선 부분을 따라 선을 그으며 읽어 보고 답을 찾아보세요.

포유동물이라면 모두 하품을 해요. 그런데 하품을 가장 길게 하는 동물은 바로 인간이랍니다. 그 이유가 뭘까요?

미국 뉴욕 주립대 앤드루 갤럽 교수 연구팀이 24종의 동물을 대상으로 하품에 대해 연구한 결과, 머리가 크고 지능이 높은 동물일수록 하품 시간이 길었다고 해요. 쥐가 가장 짧았고, 고양이와 개, 낙타, 코끼리 순으로 하품 시간이 길었어요. 그런데 코끼리보다 몸집이 작은 인간이 6초 정도로 가장 길게 나타난 거예요.

인간의 하품이 긴 이유는 뇌가 큰 데다가 뇌신경이 많고 복잡하기 때문이라는 게 연구팀의 분석이에요. 또 두뇌 활동을 많이 할수록 뇌가 빨리 뜨거워지기 때문에 이를 식혀 주려면 찬 외부 공기를 마시고 뜨거운 체내 공기를 밖으로 빼내야 해서 하품이 필요하다고 짐작했어요.

어휘 풀이

▼ **포유동물**|먹을 포 哺, 젖 유 乳, 움직일 동 動, 만물 물 物|　새끼를 낳아 젖으로 기르는 동물.

▼ **하품**　졸리거나 고단하거나 배부르거나 할 때, 절로 입이 벌어지면서 하는 깊은 호흡. 예 하품을 늘어지게 했다.

▼ **지능**|알 지 知, 능할 능 能|　사물이나 현상을 이해하고 처리하는 두뇌의 능력.
　　예 침팬지는 지능이 높은 동물로 유명하다.

▼ **뇌신경**|뇌 뇌 腦, 귀신 신 神, 경서 경 經|　척추동물에서 뇌와 가슴 부분의 근육이나 감각 기관을 직접 연결시켜 주는 신경. 예 뇌신경에 이상이 생겨 병원에 입원했다.

▼ **분석**|나눌 분 分, 가를 석 析|　얽혀 있거나 복잡한 것을 풀어서 개별적인 요소나 성질로 나눔. 예 원인 분석.

▼ **체내**|몸 체 體, 안 내 內|　몸의 내부. 예 체내의 나쁜 독소를 빼내야 건강하다.

1
이해

머리가 크고 지능이 높을수록 무엇을 하는 시간이 길어진다고 하였는지 쓰세요.

(   )

2
이해

다음 중 하품 시간이 가장 짧은 동물은 무엇인지 골라 번호에 ○표를 하세요.

(1)    (2)    (3)    (4)

3주
2일

스스로 독해 해결! 서술형

3
유추

다음은   부분을 단서로 하여 이 글에 생략된 내용을 짐작한 것이에요. 빈칸에 들어갈 알맞은 말에 각각 ○표를 하고, 빈칸에 알맞은 말을 쓰세요.

> 뇌의 크기가 (1) (클 , 작을)수록 더 많은 (2) (찬 , 뜨거운) 공기가 필요하기
>
> 때문에 (3) _____ 이 길어질 수밖에 없다.

힌트

        부분의 내용으로 어떤 결론을
내릴 수 있는지 생각해 봐요.

4
요약

이 글의 중요한 내용을 정리하여 빈칸에 알맞은 말을 각각 쓰세요.

> 미국 뉴욕 주립대 앤드루 갤럽 교수 연구팀은 인간의 하품이 긴 이유는 뇌
> 가 큰 데다가 ❶   이 많고 복잡하기 때문일 것이라고 생각했다.
> 또 많은 두뇌 활동으로 뜨거워진 ❷   를 식히기 위해 찬 외부 공기를 마시
> 고 뜨거운 체내 공기를 밖으로 빼내야 해서 하품을 하는 것이라고 짐작했다.

1 다음 보기 의 낱말들의 관계를 알맞은 틀에 정리한 것을 골라 번호에 ◯표를 하세요.

보기
쥐   동물   고양이   낙타   코끼리

(1) 동물
쥐   고양이   낙타   코끼리

(2) 동물
쥐 ↔ 고양이   낙타 ↔ 코끼리

(3) 쥐
↕
낙타 = 동물 = 코끼리
↕
고양이

(4) 쥐
‖
낙타 ↔ 동물 ↔ 코끼리
‖
고양이

2 다음 보기 를 참고하여 (   ) 안에 들어갈 알맞은 말에 각각 ◯표를 하세요.

보기
식히다 더운 기를 없애다.   시키다 어떤 일이나 행동을 하게 하다.

승진: 국수가 너무 뜨거워 (1) (식히고 , 시키고) 있는 중. 넌 뭐 해?

수지: 난 동생에게 숙제를 (2) (식히고 , 시키고) 있어.

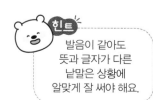

힌트
발음이 같아도
뜻과 글자가 다른
낱말은 상황에
알맞게 잘 써야 해요.

◉ 동물 중에서 인간이 하품을 가장 길게 하는 까닭을 잘 알았지요? 이번에는 하품을 하면 왜 눈물이 나는지 그 까닭에 대해서 알아볼 거예요. 다음 만화를 읽고 빈칸에 알맞은 말을 각각 쓰세요.

 하품을 하면 눈물이 나는 까닭은 하품하려고 입을 크게 벌리면 (1)

주변 근육을 자극하게 되는데 그때 (2)   에 고여 있던 눈물이 밖으로

나오기 때문이에요.

🐻🔍 「하품을 가장 길게 하는 동물은?」의 내용을 떠올리며 **하품을 하면 눈물이 나는 까닭**을 알아봅니다.

동시 (문학)

별을 긷지요

시를 읽고 장면을 떠올려 보자!

시 「별을 긷지요」를 읽고 어떤 장면이 떠오르는지 생각해 보세요.
시 속 인물의 마음을 짐작해 보고, 시의 상황과 비슷한 자신의 경험을
떠올려 보면 된답니다.

● 오늘 공부할 글과 그림을 미리 보고, 알맞은 낱말을 각각 찾아 표시하세요.

퐁당퐁당
물무늬 속에
영이의 두레박이
별을 긷지요

1 '수면에 일어나는 물결의 무늬.'라는 뜻의 낱말을 찾아 ○표를 하세요.

2 '우물이나 샘 따위에서 두레박이나 바가지 따위로 물을 떠내지요.'라는 뜻의 낱말을 찾아 △표를 하세요.

동시
「별을 긷지요」
듣기

별을 긷지요

김종상

스스로 독해

시를 읽고 어떤 장면이 떠오르나요? 점선 부분을 따라 선을 그으며 읽어 보고 시의 장면을 떠올려 보세요.

우물에 가라앉은
하늘 한 자락

저녁노을 사라지고
별이 뜨지요

퐁당퐁당
물무늬 속에
영이의 두레박이
별을 긷지요

종종걸음 돌아가는
작은 동이에

별들이 찰랑찰랑
담겨 가지요

어휘 풀이

▼**우물** 물을 긷기 위하여 땅을 파서 지하수를 괴게 한 곳. 또는 그런 시설.
　예 우물에 빠지지 않도록 주의해야 한다.

▼**물무늬** 수면에 일어나는 물결의 무늬. 예 강에 뛰어드니 물무늬가 주위로 퍼져 갔다.

▼**두레박** 줄을 길게 달아 우물물을 퍼 올리는 데 쓰는 도구.

▼**긷지요** 우물이나 샘 따위에서 두레박이나 바가지 따위로 물을 떠내지요.

▼**동이** 질그릇의 하나. 흔히 물 긷는 데 쓰는 것으로 보통 둥글고 배가 부르고 아가리가 넓으며 양옆으로 손잡이가 달려 있음. 예 동이에는 물이 반쯤 차 있었다.

▲ 두레박

▶ 정답 및 해설 22쪽

1
유추

이 시를 읽고 느껴지는 분위기로 알맞은 것에 ◯표를 하세요.

(1) 고요하고 평화로운 시골의 분위기 (　　　　)

(2) 복잡하고 시끄러운 도시의 분위기 (　　　　)

힌트
시를 읽으며 어떤 느낌이
드는지 생각해 봐요.

2
이해

서술형

시 속 인물인 영이는 우물에서 무엇을 하고 있는지 쓰세요.

영이는 우물에서 두레박으로 _____

3
유추

스스로 독해 해결!

이 시를 읽고 떠오르는 장면을 알맞게 말한 친구의 이름에 ◯표를 하세요.

영이가 바닷가에서 밤하늘에 뜬 별들을 바라보며 슬퍼하고 있는 장면이 떠올라.
종영

영이가 두레박 속 물에 비친 별들을 신기한 듯 보고 있는 장면이 떠올라.
미나

4
요약

이 시의 내용을 정리하여 빈칸에 알맞은 말을 각각 쓰세요.

저녁노을이 사라지고 별이 뜰 때 영이는 ❶　　　　　　에서 두레박으로 물을 긷는다. 두레박 속 우물물에는 밤하늘에 떠 있는 별이 담겨 있고, 물을 다 뜨고 집에 돌아가는 작은 ❷　　　　　에도 별들이 찰랑찰랑 담겨 있다.

▶ 정답 및 해설 22쪽

1 보기 를 참고하여 '퐁당퐁당'의 큰말을 쓰세요.

보기

또박또박 – 뚜 벅 뚜 벅

퐁당퐁당 –

힌트
'또박또박'에 쓰인 'ㅗ', 'ㅏ'보다는 '뚜벅뚜벅'의
'ㅜ', 'ㅓ'가 더 크고 무거운 느낌을 주어요.

2 다음 그림에 알맞은 낱말은 무엇인지 보기 에서 각각 찾아 쓰세요.

보기

종종걸음 발을 가까이 자주 떼며 급히 걷는 걸음.
발끝걸음 발끝만을 땅에 디디며 가만가만히 걷는 걸음.
팔자걸음 발끝을 바깥쪽으로 벌려, 거드름을 피우며 느리게 걷는 걸음.

(1) 지각할까 봐

□□□□으로 학교에 갔다.

(2) 할아버지는

□□□□으로 동네 산책을 하셨다.

◐ 시 「별을 긷지요」 속 영이는 작은 동이를 어떻게 집까지 가지고 갔을까요? 이번에는 우리 조상들이 짐이나 사람을 옮기기 위해 사용한 도구에 대해 알아볼 거예요. 다음 설명을 읽고 빈칸에 알맞은 도구의 이름을 각각 쓰세요.

옛날에는 짐을 옮길 때 지게, 똬리, 달구지 등을 이용했어요. 물건을 등에 지고 나를 수 있는 지게는 주로 남자들이 사용했고, 여자들은 똬리를 머리에 올린 뒤, 물동이나 짐을 이고 날랐어요. 사람이 혼자 옮기기 힘든 무거운 짐을 옮길 때는 소나 말이 끄는 달구지를, 사람을 나를 때는 가마를 사용했어요.

 시 「별을 긷지요」의 내용을 떠올리며 **우리 조상들이 짐이나 사람을 옮기기 위해 사용했던 도구**는 무엇인지 알아봅니다.

안성맞춤

공부한 날   월   일

자신이 겪은 일과 관련지어 글을 읽어 보자!

자신이 겪은 일과 관련지어 글을 읽으면 내용을 쉽게
이해할 수 있어요.
자신이 겪은 일과 글의 내용을 비교해 새롭게 안 내용을
생각하면서 「안성맞춤」을 읽어 보세요.

● 오늘 공부할 글과 그림을 미리 보고, 알맞은 낱말을 각각 찾아 표시하세요.

옛날에 안성에서는 두 가지 종류의 유기를 만들었어요. 장에 내다 팔기 위해 대량으로 만든 그릇인 '장내기'와 양반들의 주문을 받아 만든 그릇인 '맞춤'이에요.

3주
4일

1 '놋쇠로 만든 그릇.'이라는 뜻의 낱말을 찾아 ○표를 하세요.

2 '고려·조선 시대에, 지배층을 이루던 신분.'이라는 뜻의 낱말을 찾아 △표를 하세요.

안성에 대하여
자세히 알아보기

안성맞춤

스스로 독해

점선 부분을 따라 선을 그으며 자신이 겪은 일과 관련지어 읽어 보세요. 글을 쉽게 이해할 수 있을 거예요.

안성맞춤이란 자기가 생각하거나 ▼요구한 대로 잘 만들어진 물건을 가리키는 말이에요.

옛날에 안성에서는 두 가지 종류의 ▼유기를 만들었어요. 장에 내다 팔기 위해 ▼대량으로 만든 그릇인 '장내기'와 ▼양반들의 주문을 받아 만든 그릇인 '맞춤'이에요.

▼한양의 양반들이 안성에 놋그릇을 주문하면, 해 달라고 한 것에 딱 맞게 잘 만들어 주었대요. 여기서 '안성맞춤'이란 말이 생긴 것이랍니다.

어휘 풀이

▼**요구**|중요할 요 要, 구할 구 求| 받아야 할 것을 필요에 의하여 달라고 청함. 또는 그 청.
　例 물건을 빨리 만들어 달라고 요구했다.

▼**유기**|놋쇠 유 鍮, 그릇 기 器| 놋쇠로 만든 그릇. 例 유기를 꺼내 정성스럽게 닦았다.

▼**대량**|큰 대 大, 헤아릴 량 量| 아주 많은 분량이나 수량.
　例 대량 주문이 들어와 하루 종일 쉴 틈이 없었다.

▼**양반**|두 양 兩, 나눌 반 班| 고려·조선 시대에, 지배층을 이루던 신분.

▼**한양**|한나라 한 漢, 볕 양 陽| '서울'의 옛 이름. 例 과거를 보러 한양으로 떠났다.

▲ 유기(놋그릇)

1 서술형

이해

'안성맞춤'의 뜻은 무엇인지 쓰세요.

자기가 생각하거나 요구한 대로 _____

을 가리키는 말이다.

2

이해

옛날에 안성에서 만든 유기의 종류를 두 가지 쓰세요.

(   ), (   )

3 스스로 독해 해결!

유추

이 글의 내용을 자신이 겪은 일과 관련지어 말한 친구의 이름에 ◯표를 하세요.

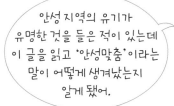

안성 지역의 유기가 유명한 것을 들은 적이 있는데 이 글을 읽고 '안성맞춤'이라는 말이 어떻게 생겨났는지 알게 됐어.

나영

정국

동생과 장난을 치다가 그릇을 깨뜨려서 부모님께 혼난 적이 있어.

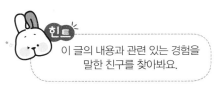

힌트

이 글의 내용과 관련 있는 경험을 말한 친구를 찾아봐요.

4

요약

'안성맞춤'이라는 말이 어떻게 생겨났는지 정리하여 빈칸에 알맞은 말을 각각 쓰세요.

옛날에 ❶ _____ 에서는 장에 내다 팔기 위해 대량으로 만든 그릇인 '장내기'와 양반들의 주문을 받아 만든 그릇인 '맞춤'이라는 두 가지 종류의 유기를 만들었다. 한양의 양반이 안성에 놋그릇을 주문하면 해 달라고 한 것에 딱 맞게 잘 만들어 주어 '❷ _____ '이라는 말이 생겼다.

1 다음 빈칸에 들어갈 알맞은 낱말을 찾아 각각 선으로 이으세요.

(1)
> 유기는 놋쇠로 만든 그릇
> 을 ☐☐ ☐☐
> 말이다.

·

· ① 가리키는 어떤 사실이나 내용을 뜻하는.

(2)
> 아버지께서는 학생들을
> ☐☐ ☐☐ 일
> 을 하셨다.

·

· ② 가르치는 지식이나 기능, 이치 따위를 깨닫게 하거나 익히게 하는.

2 다음 보기 를 참고하여 빈칸에 들어갈 알맞은 말을 각각 쓰세요.

보기

놋그릇 → 놋 + 그릇

(1) 김밥 → ☐☐ + ☐☐　　(2) 감나무 → ☐☐ + ☐☐

힌트
낱말 뜻을 생각하며 어떻게 쪼개면 좋을지 생각해 봐요.

○ 우리 조상들은 유기의 재료인 놋쇠로 여러 가지 물건을 만들어 썼어요. 그중 놋쇠로 만든 악기는 소리가 좋아 타악기로 널리 사용되었지요. 다음 수정이가 한 말을 읽고 어떤 악기를 설명하고 있는지 그림에서 찾아 ○표를 하세요.

수정

? 놋쇠로 만든 이 악기는 우리나라 고유의 타악기로, 채로 쳐서 소리를 내요. '동고', '소금', '쟁'이라고도 하며 모양이 징과 비슷하나 크기가 작고 소리는 높아요. 이 악기는 농악을 연주할 때 시작과 끝, 리듬의 길고 짧음 등을 조절하며 이끌고, 농악에서는 이 악기를 치는 사람을 '상쇠'라고 해요.

꽹과리

장구

소고

태평소

징

북

 「안성맞춤」의 내용을 떠올리며 **놋쇠로 만든 우리나라의 전통 타악기**에 대해 알아봅니다.

5일

생활 속 독해

과학실 이용 안내

공부한 날   월   일

주의할 점이 무엇인지 찾으며 읽어 보자!

「과학실 이용 안내」를 읽으며 주의할 점이 무엇인지 찾아보세요.

안내문에 나온 글과 그림을 함께 살펴보고 중요한 부분에

밑줄을 그으며 읽으면 된답니다.

● 오늘 공부할 글의 그림을 미리 보고, 빈칸에 알맞은 낱말을 보기 에서 각각 찾아 쓰세요.

보기

| 보안경 | 실험복 | 마스크 | 사고 | 절차 | 지시 |

❶

눈을 보호하기 위하여 쓰는 안경.

예 과학실에서 실험을 할 때 필요한 경우 ○○○을 착용해야 한다.

❷

일러서 시킴. 또는 그 내용.

예 선생님의 ○○에 따라 실험 기구나 화학 약품을 다루어야 한다.

❸

뜻밖에 일어난 불행한 일.

예 과학실에서 ○○가 났을 때에는 선생님께 즉시 알려야 한다.

실험 기구
사용법에 대하여
알아보기

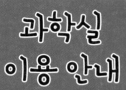

과학실 이용 안내

☞ 과학실에서 실험을 할 때에는 실험복을 입습니다. 필요한 경우 마스크, ▾보안경, 안전 장갑 등을 착용합니다.

☞ 선생님의 ▾지시를 잘 따릅니다. 선생님 말씀을 듣고 실험 기구나 ▾화학 약품을 다루어야 혹시 모를 ▾사고를 예방할 수 있습니다.

☞ 과학실에서 장난을 치지 맙시다. ㉠ 과학실에서 사고가 났을 때에는 즉시 선생님께 알려야 합니다.

어휘 풀이

▾**보안경**|보전할 보 保, 눈 안 眼, 거울 경 鏡| 눈을 보호하기 위하여 쓰는 안경.

▾**지시**|가리킬 지 指, 보일 시 示| 일러서 시킴. 또는 그 내용. 예 선생님의 지시에 따라 학교 건물에서 나왔다.

▾**화학 약품**|될 화 化, 배울 학 學, 약 약 藥, 물건 품 品| 물리학과 화학 실험에 사용되는 약품.

▾**사고**|일 사 事, 옛 고 故| 뜻밖에 일어난 불행한 일. 예 작은 실수가 큰 사고로 이어졌다.

1
이해

과학실에서 실험할 때 착용해야 하는 것으로 알맞지 <u>않은</u> 것에 ×표를 하세요.

(1)
안전 장갑
(　　　　)

(2)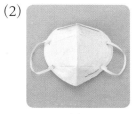
마스크
(　　　　)

(3)
보안경
(　　　　)

(4)
목도리
(　　　　)

2
이해

서술형

선생님의 지시에 따라 실험 기구나 화학 약품을 다루어야 하는 까닭을 쓰세요.

_____를 예방할 수 있기 때문이다.

3
문법

　⊙　안에 들어갈 이어 주는 말로 알맞은 것은 무엇인가요? (　　　　)

① 하지만　　　　② 그러나　　　　③ 그리고

④ 그래서　　　　⑤ 왜냐하면

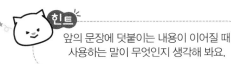
힌트
앞의 문장에 덧붙이는 내용이 이어질 때
사용하는 말이 무엇인지 생각해 봐요.

4
요약

스스로 독해 해결!

과학실을 이용할 때 주의할 점을 정리하여 빈칸에 알맞은 말을 각각 쓰세요.

- ❶ _____, 마스크, 보안경, 안전 장갑 등을 착용한다.
- 선생님의 ❷ _____ 를 잘 따라야 한다.
- ❸ _____ 을 치지 말아야 하고 사고가 났을 때에는 선생님께 즉시 알린다.

1 다음 보기 와 같이 ( ) 안에 들어갈 알맞은 낱말에 각각 ○표를 하세요.

> 보기
>
> 선생님 (말 , 말씀)을 듣고 실험 기구나 화학 약품을 다루어야 한다.

(1) 아버지께서 (밥 , 진지) 드시는 모습을 보니 배가 고팠다.

(2) 어머니 (생일 , 생신)에 드릴 선물을 준비했다.

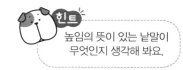

힌트
높임의 뜻이 있는 낱말이
무엇인지 생각해 봐요.

2 다음 밑줄 그은 낱말의 뜻으로 알맞은 것에 ○표를 하세요.

> 과학실에서 장난을 <u>치지</u> 맙시다.

(1) 손이나 손에 든 물건으로 세게 부딪게 하지.　　　　(　)

(2) 손이나 물건 따위를 부딪쳐 소리 나게 하지.　　　　(　)

(3) 시계나 종 따위가 일정한 시각을 소리를 내어 알리지.　(　)

(4) 속이는 짓이나 짓궂은 짓, 또는 좋지 못한 행동을 하지.　(　)

◉ 다음 그림을 보고 과학실에서 실험을 할 때 지켜야 할 점을 알맞게 말한 친구를 찾아 모두
　○표를 하세요.

 「과학실 이용 안내」의 내용을 떠올리며 **과학실에서 실험을 할 때 지켜야 할 점**을 알아봅니다.

[1~3] 다음 글을 읽고, 물음에 답하세요.

(가) 지옥에 들어선 바리공주는 철창에 갇힌 많은 사람들을 보고 깜짝  놀랐습니다. 바리공주가 주머니 속에서 금종을 꺼내 흔들자, 맑은 금종 소리에 철창은 산산조각이 나고 말았습니다.

(나) "배가 없으니 어찌 바다를 건너지? 맞아, 무지개 열매가 있었지. 그런데 이걸로 어떻게 하라는 걸까?"

바리공주는 열매를 만지작거리다 그만 바다에 빠뜨리고 말았습니다. 그랬더니 무지개 열매는 바다를 건널 수 있는 무지개 다리로 변했습니다.

1 바리공주가 금종을 꺼내 흔들자 무슨 일이 일어났나요? ( )

① 철창의 문이 닫혔다.
② 철창이 산산조각이 났다.
③ 금종이 무지개 열매로 변했다.
④ 철창에 갇힌 사람들이 사라졌다.
⑤ 바리공주가 철창 안에 갇히고 말았다.

2 글 (나)에서 일이 일어난 장소는 어디인지 알맞은 것에 ○표를 하세요.

(지옥 , 바다 , 산)

3 무지개 열매가 무엇으로 변했는지 찾아 쓰세요.

[4~5] 다음 글을 읽고, 물음에 답하세요.

인간의 하품이 긴 이유는 뇌가 큰 데다가 뇌신경이 많고 복잡하기 때문이라는 게 연구 팀의 분석이에요. 또 두뇌 활동을 많이 할수록 뇌가 빨리 뜨거워지기 때문에 이를 ㉠식혀 주려면 찬 외부 공기를 마시고 뜨거운 체내 공기를 밖으로 빼내야 해서 하품이 필요하다고 짐작했어요.

4 이 글에 생략된 내용을 바르게 짐작한 친구의 이름을 쓰세요.

> 은수: 인간은 뇌가 커서 뜨거워진 뇌를 식히기 위한 더 많은 찬 공기가 필요하기 때문에 하품이 긴 거야.
>
> 서경: 뇌가 작을수록 뇌를 식히기 위한 더 많은 찬 공기가 필요하기 때문에 하품이 길 수밖에 없어.

( )

5 ㉠을 뜻에 알맞게 사용한 문장에 ○표를 하세요.

(1) 국물이 뜨거워서 식혀 먹었다.

( )

(2) 동생에게 심부름을 식혀 놓았다.

( )

6 이 시를 읽고 떠올릴 수 있는 장면으로 알맞은 것에 ◯표를 하세요.

> 퐁당퐁당
> 물무늬 속에
> 영이의 두레박이
> 별을 긷지요
>
> 종종걸음 돌아가는
> 작은 동이에
>
> 별들이 찰랑찰랑
> 담겨 가지요

(1) 영이가 어두운 밤이 무서워 주변을 이리저리 둘러보는 장면　（　　　）

(2) 영이가 동이에 담긴 물에 비친 별들을 보며 미소 짓는 장면　（　　　）

[7~8] 다음 글을 읽고, 물음에 답하세요.

> 옛날에 안성에서는 두 가지 종류의 유기를 만들었어요. 장에 내다 팔기 위해 대량으로 만든 그릇인 '장내기'와 양반들의 주문을 받아 만든 그릇인 '맞춤'이에요.
> 한양의 양반들이 안성에 놋그릇을 주문하면, 해 달라고 한 것에 딱 맞게 잘 만들어 주었대요. 여기서 '안성맞춤'이란 말이 생긴 것이랍니다.

7 한양의 양반들이 주문한 것에 딱 맞게 안성에서 놋그릇을 만들어 주어 생긴 말을 쓰세요.

（　　　　　　　）

8 이 글을 잘 이해하기 위해 자신이 겪은 일을 알맞게 떠올린 것에 ◯표를 하세요.

(1) 미술 시간에 점토로 그릇을 만들어 본 경험을 떠올렸다.　（　　　）

(2) 안성 지역의 유기를 소개하는 글을 읽었던 경험을 떠올렸다.　（　　　）

[9~10] 다음 글을 읽고, 물음에 답하세요.

> **과학실 이용 안내**
>
> ☞ 과학실에서 실험을 할 때에는 실험복을 입습니다. 필요한 경우 마스크, 보안경, 안전 장갑 등을 착용합니다.
> ☞ 선생님의 지시를 잘 따릅니다. 선생님의 ㉠말을 듣고 실험 기구나 화학 약품을 다루어야 혹시 모를 사고를 예방할 수 있습니다.
> ☞ 과학실에서 장난을 치지 맙시다. 그리고 과학실에서 사고가 났을 때에는 즉시 선생님께 알려야 합니다.

9 ㉠을 높임의 뜻이 있는 낱말로 고쳐 쓰세요.

10 이 글을 읽고 과학실을 바르게 이용하고 있는 모습에 ◯표를 하세요.

(1) （　　　）　　(2) （　　　）

창의

1 다음 만화를 읽고, 3주차에서 배운 낱말을 떠올려 어휘 퀴즈에 알맞은 낱말을 빈칸에 각각 쓰세요.

🐻 **어휘 퀴즈**

❶ '얽혀 있거나 복잡한 것을 풀어서 개별적인 요소나 성질로 나눔.'을 뜻하는 말은?

→

❷ '받아야 할 것을 필요에 의하여 달라고 청함. 또는 그 청.'을 뜻하는 말은? →

❸ '선생님의 ○○에 따라 우리 반은 줄을 서서 이동했다.'의 빈칸에 들어갈 알맞은 말은?

→

코딩

2　「별을 긷지요」에 나온 영이가 물이 가득 담긴 동이를 이고 집에 돌아가려고 해요. 나무에 부딪치지 않고 집에 도착할 수 있도록 코딩 카드에 알맞은 숫자를 써넣으세요.

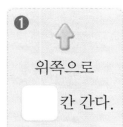

❶ 위쪽으로 ☐ 칸 간다.

❷ 오른쪽으로 ☐ 칸 간다.

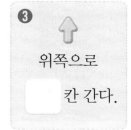

❸ 위쪽으로 ☐ 칸 간다.

❹ 오른쪽으로 1 칸 간다.

융합

3 다음 그림을 보며 안성에서 잘 만들기로 유명했던 유기와 우리 조상들이 사용했던 또 다른 그릇들에 대하여 알아보고 빈칸에 알맞은 말을 써넣으세요.

 우리 조상들은 다양한 그릇들을 사용했어요. 놋쇠로 만든 그릇인 유기, 푸른빛의 청자와 흰색의 백자가 유명한 (1)   , 나무로 만든 그릇인 (2)   , 보존 능력이 뛰어나 김치나 고추장을 담는 데 많이 쓰인 (3)   가 대표적이에요.

창의

4

생활 어휘

다음 태풍 피해 예방 안내 메시지를 보고 알맞은 말에 각각 ○표를 하세요.

상습 침수 지역이 뭐야?

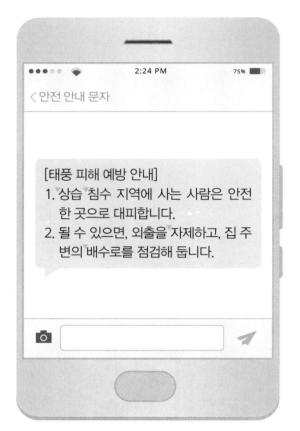

2:24 PM　　75%

< 안전 안내 문자

[태풍 피해 예방 안내]
1. 상습 침수 지역에 사는 사람은 안전한 곳으로 대피합니다.
2. 될 수 있으면, 외출을 자제하고, 집 주변의 배수로를 점검해 둡니다.

배수로를 점검해 두어야 한다는 게 무슨 뜻이지?

애들아! 태풍이 오면 (1) (계속 , 가끔) 반복되어 물에 (2) (잠기는 , 대비한) 지역에 사는 사람은 안전한 곳으로 대피해야 해. 또 될 수 있으면 외출을 하지 말고, 집 주변에 물이 (3) (들어올 , 빠져나갈) 수 있도록 만든 길을 꼼꼼히 검사해 두어야 해.

어휘 풀이 -

▼**상습**|항상 상 常, 익힐 습 習|　좋지 않은 버릇이나 일이 계속 반복됨. 예 상습으로 지각을 하였다.

▼**침수**|잠길 침 沈, 물 수 水|　물에 잠김. 예 둑을 쌓아 강 주변의 침수를 막았다.

▼**자제**|스스로 자 自, 억제할 제 制|　자기의 감정이나 욕망을 내리눌러서 스스로 그치게 함.
　　예 비싼 학용품을 사고 싶었지만 자제하기로 마음먹었다.

▼**배수로**|물리칠 배 排, 물 수 水, 길 로 路|　물이 빠져나갈 수 있도록 만든 길.

▶ 정답 및 해설 25쪽

창의
5
생활 한자

分(나눌 분) 자에 대해 알아보고, 다음 물음에 답하세요.

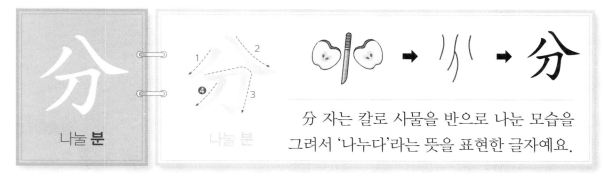

分 자는 칼로 사물을 반으로 나눈 모습을 그려서 '나누다'라는 뜻을 표현한 글자예요.

나눌 **분**

(1) 分 자가 들어간 낱말을 알아보고, 한자의 음을 쓰세요.

① 동생과 나누어 먹기 위해 피자를 공평하게 分配하였다.

☐ 배

② 요즘은 남녀 區分 없이 집안일을 한다.

구 ☐

힌트
104쪽에서 공부한 '분석'에 쓰인 分(나눌 분) 자에 대해 알아봐요.

(2) 한자 성어의 뜻을 알아보고, 빈칸에 알맞은 한자를 쓰세요.

욕심 부리지 말고 내 분수에 맞게 한 가지만 할걸……

安 分 知 足
편안할 **안** 나눌 **분** 알 **지** 발 **족**

편안한 마음으로 제 분수를 지키며 만족할 줄을 앎.

• 욕심을 버리고 安 ☐ 知 足 (안분지족)의 삶을 살아야겠다.

1-1 다음 문장에 넣을 바른 낱말을 골라 ○표를 하세요.

소금물을 증발 접시에 넣고 가열하면 물이 (증발 , 흡수)하면서 결국 소금만 남게 돼.

1-2 친구가 쓴 견학 기록문에서 밑줄 그은 낱말을 바르게 고친 것을 골라 ○표를 하세요.

염전에 견학을 갔다. 염전에서는 바닷물을 모아서 햇볕에 <u>증류시켜</u> 소금을 얻는다고 한다.

> 힌트
> '어떤 물질이 액체 상태에서 기체 상태로 변함. 또는 그런 현상.'이라는 뜻의 낱말이 들어가야 해요.

(1) 가열　　(　　　　)

(2) 증발　　(　　　　)

▶ 정답 및 해설 26쪽

2-1 다음 밑줄 그은 낱말의 뜻에 주의하여 글의 내용을 알맞게 말한 친구의 이름에 ◯표를 하세요.

돈이 없는데 식료품으로 치료비를 대신해도 되겠느냐고 망설이며 물었습니다. 베쑨은 흔쾌히 대답했고, 그 소문은 금세 마을에 퍼졌습니다. 사람들은 그동안 치료받지 못하고 키워 오던 병을 치료해 달라며 베쑨을 찾아왔습니다.

우리: 베쑨은 식료품으로 치료비를 대신해도 되겠느냐고 묻는 사람에게 기쁘고 유쾌하게 대답했어.

나라: 베쑨은 식료품으로 치료비를 대신해도 되겠느냐고 묻는 사람에게 짜증과 화를 내며 대답했어.

힌트
'흔쾌히'는 '기쁘고 유쾌하게.'라는 뜻이에요.

2-2 래온이의 말을 읽고, 밑줄 그은 낱말을 바르게 고쳐 쓰세요.

나는 흔쾌이 친구의 부탁을 들어주었어.

흔 쾌 이 ➡ ☐ ☐ ☐

바보 이반

☆**원인과 결과의 흐름**을 파악하며 읽어 보자!

원인과 결과의 흐름을 파악하며 「바보 이반」을 읽어 보세요.
어떤 일이 먼저 일어났는지 살펴보고 먼저 일어난 일 때문에
그 뒤에 일어난 일이 어떻게 달라졌는지 찾으면 된답니다.

● 오늘 공부할 글의 그림을 미리 보고, 빈칸에 알맞은 낱말을 각각 찾아 쓰세요.

| 쟁기 | 가닥 | 생각 | 비명 |

　큰형과 둘째 형이 아버지의 재산을 나눠 가지고 떠난 뒤에 바보 이반은 부모님,

누이동생과 함께 살았어요. 어느 날 이반이 밭을 일구려고 할 때 ❶ [　　] 에
　　　　　　　　　　　　　　말이나 소가 끌게 해서 논밭을 가는 농기구.

무엇이 걸려서 끌어내 보니 막내 악마였어요. 이반이 쟁기로 내리치려고 하자 겁에

질린 막내 악마는 ❷ [　　] 을 지르며 이반에게 자신을 살려 주면 소원을
　　　　　　　　　　위급하거나 몹시 두려워서 지르는 외마디 소리.

들어주겠다고 하였어요. 이반은 막내 악마에게 어떤 소원을 빌었을까요?

톨스토이에 대하여 알아보기

바보 이반

톨스토이

스스로 독해

점선 부분을 따라 선을 그으며 읽어 보고 일이 일어난 원인과 결과의 흐름을 파악해 보세요.

이반은 다음 날도 밭을 일구러 나갔다. 아픈 배를 움켜쥐고 마지막 남은 밭을 일구려 할 때였다. 쟁기가 무엇에 걸린 듯 꼼짝도 하지 않는 것이었다. 막내 악마가 땅속에서 쟁기를 꽉 붙잡고 있었기 때문이었다.

"어? 이상하다. 나무뿌리에 걸렸나?"

이반은 고개를 갸웃거리며 손으로 흙을 파헤쳐 쟁기 끝을 만져 보았다. 그리고 뭔가 뭉클한 것이 손에 닿자 그것을 꽉 움켜쥐고 잡아당겼다. 밖으로 끌려나온 것은 막내 악마였다.

"어이쿠, 기분 나쁘게 생긴 녀석일세."

이렇게 말하며 이반이 쟁기로 악마를 내리치려고 하자 막내 악마가 비명을 지르며 말했다.

"살려 주세요. 그럼 소원을 들어드릴게요."

이반은 잠시 생각하다가 말했다.

"나는 지금 배가 아파. 내 배를 낫게 해 줄 수 있어?"

그러자 막내 악마는 세 가닥으로 된 나무뿌리를 이반에게 내밀었다. 이반이 뿌리 한 가닥을 떼어 먹자 정말로 아프던 배가 금세 나았다.

어휘 풀이

▼**움켜쥐고**　손가락을 우그리어 손안에 꽉 잡고 놓지 않고. 예 친구는 내 손을 움켜쥐고 놓지 않았다.

▼**쟁기**　삼각형 모양의 농기구로 말이나 소가 끌게 해서 논밭을 가는 농기구.

▼**비명** |슬플 비 悲, 울 명 鳴|　일이 매우 위급하거나 몹시 두려움을 느낄 때 지르는 외마디 소리. 예 너무 무서워서 비명을 질렀다.

▼**소원** |바 소 所, 바랄 원 願|　어떤 일이 이루어지기를 바람. 또는 그런 일.

▼**가닥**　한군데서 갈려 나온 낱낱의 줄이나 줄기 따위를 세는 말.

▲ 쟁기

▶ 정답 및 해설 26쪽

1
이해

이반이 마지막 남은 밭을 일구려 할 때 쟁기가 꼼짝도 하지 않은 까닭은 무엇인지 알맞은 것에 ○표를 하세요.

(1) 쟁기에 커다란 돌이 걸려서   (   )

(2) 막내 악마가 땅속에서 쟁기를 꽉 붙잡고 있어서   (   )

2
이해

서술형

이반은 땅속에서 끌려나온 막내 악마를 보고 무엇이라고 했는지 쓰세요.

_____ 생긴 녀석이라고 하였다.

4주
1일

3
유추

이반이 쟁기로 내리치려고 할 때 막내 악마의 마음으로 알맞은 것은 무엇인가요?   (   )

① 즐거운 마음   ② 귀찮은 마음   ③ 무서운 마음
④ 부러운 마음   ⑤ 부끄러운 마음

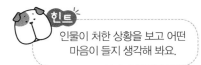
힌트
인물이 처한 상황을 보고 어떤 마음이 들지 생각해 봐요.

4
요약

스스로 독해 해결

원인과 결과의 흐름을 파악하며 내용을 정리하여 빈칸에 알맞은 말을 각각 쓰세요.

원인	결과
이반이 막내 악마를 발견하고 ❶ _____ 로 내리치려고 함.	→	막내 악마는 자신을 살려 주면 ❷ _____ 을 들어주겠다고 함.
이반은 아픈 배를 낫게 해 달라고 하였고, 막내 악마는 이반에게 세 가닥으로 된 나무뿌리를 줌.	→	이반이 나무뿌리 한 가닥을 떼어 먹었더니 아팠던 ❸ _____ 가 금세 나음.

▶ 정답 및 해설 26쪽

1 다음 밑줄 그은 낱말을 맞춤법에 맞게 각각 고쳐 쓰세요.

(1) 이반은 손으로 흙을 <u>파혜쳐</u> 쟁기 끝을 만져 보았다.

(   )

(2) 정말로 아프던 배가 <u>금새</u> 나았다.

(   )

힌트

맞춤법이 헷갈리는 낱말이 있으면 국어사전을 찾아보세요.

2 다음 보기 와 같이 (   ) 안에 들어갈 알맞은 낱말에 각각 ◯표를 하세요.

보기

(◯어이쿠, 아뿔싸), 기분 나쁘게 생긴 녀석일세.

(1) (앗, 야호), 호랑이다. 어쩌지?

(2) (우아, 아차), 사람이다. 잡아먹어야지.

3 다음 밑줄 그은 낱말과 같은 뜻으로 쓰인 낱말에 ◯표를 하세요.

막내 악마는 세 <u>가닥</u>으로 된 나무뿌리를 이반에게 내밀었다.

(1) 어머니께서 머리를 두 **가닥** 으로 묶어 주셨다. (   )

(2) 한 **가닥** 의 희망을 가졌으나 결국 경찰에게 잡혔다. (   )

○ 이반이 밭일을 할 때 사용한 쟁기는 밭을 일구는 데 사용하는 농기구예요. 그럼 이번에는 우리 조상들은 어떤 농기구를 사용하여 농사를 지었는지 알아볼까요? 보기 를 참고하여 그림 속 사람들에게 필요한 농기구는 무엇인지 빈칸에 각각 쓰세요.

보기

 낫 — 나무, 풀 따위를 베는 데 쓰는 농기구.

 매통 — 곡물의 껍질을 벗기는 농기구.

 고무래 — 밭의 흙을 고르는 데 쓰는 농기구.

 호미 — 김을 매거나 감자나 고구마 따위를 캘 때 쓰는 농기구.

 이야기 「바보 이반」의 내용을 떠올리며 **우리 조상들이 사용했던 농기구**에 대해 알아봅니다.

모래에 섞인 소금 분리하기

공부한 날   월   일

순서에 따라 글의 내용을 정리해 보자!

「모래에 섞인 소금 분리하기」를 읽고 순서에 따라 내용을
정리해 보세요.

'우선', '맨 처음', '~한 뒤에', '그다음에', '마지막으로'와 같은
순서를 알려 주는 말을 찾아 내용을 정리하면 된답니다.

● 오늘 공부할 글의 사진을 미리 보고, 빈칸에 알맞은 낱말을 보기 에서 각각 찾아 쓰세요.

보기

모래사장   거름종이   노릇   분리   가열

❶

서로 나뉘어 떨어짐. 또는 그렇게 되게 함.
⑩ 모래와 소금의 ○○를 위해 소금이 섞인 모래를 물에 넣어 저었다.

❷

액체 속에 들어 있는 물질을 걸러 내는 종이.
⑩ 소금과 모래가 섞인 물을 ○○○○를 간 깔때기에 붓는다.

❸

어떤 물질에 열을 가함.
⑩ 소금물을 증발 접시에 넣고 ○○하면 소금만 남게 된다.

혼합물을 분리하는
다양한 사례
알아보기

모래에 섞인 소금 분리하기

스스로 독해

모래에 섞인 소금을 어떻게 분리할 수 있을까요? ◯ 속 낱말을 색칠하며 읽어 보고 그 낱말로 시작하는 내용의 순서에 따라 글의 내용을 정리해 보세요.

소금 통을 들고 가다 실수로 모래사장에 모두 쏟았다면 어떻게 해야 할까? 모래에 섞인 소금을 한 알 한 알 골라내는 방법밖에 없을까?

만약 이런 일이 벌어진다면 정말 답답한 노릇일 거야. 하지만 조금만 과학을 알고 있으면 모래에서 소금을 분리해 내는 일은 손쉽게 해결할 수 있지.

우선 소금이 섞인 모래를 물이 담긴 그릇에 담고 잘 저어. 그러면 모래는 물에 녹지 않고 무거우니까 그릇 밑에 가라앉을 거야. 그리고 소금은 물에 잘 녹게 되지. 그다음에 소금과 모래가 섞인 물을 거름종이를 깐 깔때기에 부어. 그러면 모래는 거름종이에 걸러지고, 소금물만 모아지지. 마지막으로 이 소금물을 증발 접시에 넣고 가열하면 물이 증발하면서 결국 소금만 남게 돼.

깔때기

증발 접시

▲ 모래에 섞인 소금을 분리하는 과정

어휘 풀이

▼ **모래사장**|모래 사 沙, 마당 장 場| 강가나 바닷가에 있는 넓고 큰 모래벌판.

▼ **노릇** 일의 됨됨이나 형편. 예 말을 믿어 달라고 속을 보여 줄 수도 없는 노릇이다.

▼ **분리**|나눌 분 分, 떠날 리 離| 서로 나뉘어 떨어짐. 또는 그렇게 되게 함.

▼ **거름종이** 액체 속에 들어 있는 물질을 걸러 내는 종이.

▼ **깔때기** 병 따위에 꽂아 놓고 액체를 붓는 데 쓰는 나팔 모양의 기구.

▲ 모래사장

▼ **증발**|찔 증 蒸, 필 발 發| **접시** 액체를 증발시켜 고체의 시험 재료를 얻기 위한 얇은 접시.

▼ **가열**|더할 가 加, 더울 열 熱| 어떤 물질에 열을 가함. 예 가열을 하여 병균을 없앴다.

1 이 글에서 설명하는 내용은 무엇인가요? (   )
이해

① 소금물을 만드는 방법

② 모래를 물에 녹이는 방법

③ 물과 기름을 분리하는 방법

④ 바닷물에서 소금을 얻는 방법

⑤ 모래에 섞인 소금을 분리하는 방법

2 이 글에 나온 순서를 알려 주는 말을 모두 고르세요. (   )
어휘

① 만약　　　　　　② 우선　　　　　　　③ 그리고

④ 그다음에　　　　⑤ 마지막으로

서술형

3 소금과 모래가 섞인 물을 거름종이를 깐 깔때기에 부으면 어떻게 되는지 쓰세요.
이해

깔때기

_____,

소금물만 모아진다.

힌트
거름종이가 어떤 역할을
하는지 생각해 봐요.

스스로 독해 해결!

4 순서에 따라 내용을 정리하여 빈칸에 알맞은 말을 각각 쓰세요.
요약

소금이 섞인 모래를 ❶ [   ] 이 담긴 그릇에 담고 잘 젓는다. → 소금과 모래가 섞인 물을 거름종이를 깐 ❷ [   ] 에 부어 소금물만 모은다. → 소금물을 ❸ [   ] 에 넣고 가열한다.

▶ 정답 및 해설 27쪽

1 다음 보기 처럼 뜻을 가진 낱말끼리 합쳐져 만들어진 낱말에 모두 ○표를 하세요.

> 보기
>
>  모래는 거름종이에 걸러지고, 소금물만 모아지지.
>
> 소금 + 물

(1)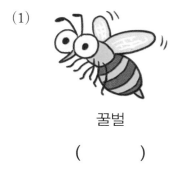

꿀벌

(   )

(2)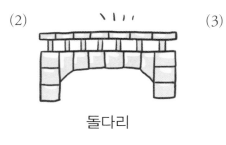

돌다리

(   )

(3)

조개

(   )

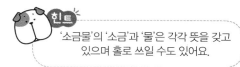 '소금물'의 '소금'과 '물'은 각각 뜻을 갖고 있으며 홀로 쓰일 수도 있어요.

2 다음 문장에 들어갈 알맞은 이어 주는 말을 보기 에서 찾아 쓰세요.

> 보기
>
> 그리고   하지만   그래서   왜냐하면   그러므로

• 친구들이 선빈이에게 선물을 주었다.   나는 선물을 준비하지 못했다.

◉ 소금과 모래는 '소금이 물에 녹는 성질'을 이용해 분리를 하였어요. 그럼 물과 기름은 어떻게 분리할까요? 다음 마블링 작업 과정을 보고 물과 기름은 어떻게 분리할 수 있는지 빈칸에 들어갈 알맞은 말에 각각 ○표를 하세요.

> 마블링은 물 위에 유성 물감(기름이 섞인 물감)을 떨어뜨려 잘 저은 다음, 물 위에 종이를 갖다 대서 물감이 묻어나게 하는 미술 기법이에요.

〈마블링 작업 과정〉

❶ 물 위에 유성 물감을 떨어뜨린다.

❷ 나무젓가락으로 잘 젓는다.

❸ 물 위에 흰 종이를 갖다 댄다.

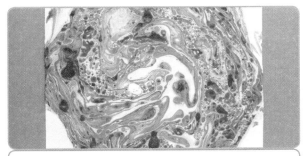

❹ 종이에 찍힌 무늬를 확인한다.

 마블링 작업 과정을 보면 유성 물감은 (1) (물 , 기름)에 녹지 않고 물보다 가볍다는 사실을 알 수 있어요. 즉, 물과 기름은 서로 (2) (섞이는 , 섞이지 않는) 성질이 있으므로 스포이트나 기름을 빨아들이는 종이로 물 위에 놓인 기름을 제거하면 물과 기름을 쉽게 분리할 수 있어요.

 「모래에 섞인 소금 분리하기」의 내용을 떠올리며 **물과 기름을 분리하는 방법**은 무엇인지 알아봅니다.

제주도에서

공부한 날   월   일

본 것과 생각이나 느낌을 구분해 보자!

「제주도에서」를 읽으며 글쓴이가 본 것은 무엇이고 생각하거나
느낀 것은 무엇인지 구분해 보세요.

글쓴이가 여행하면서 본 것을 사실 그대로 쓴 부분과 여행하면서
생각하거나 느낀 점을 쓴 부분을 나누어 정리하면 된답니다.

◉ 오늘 공부할 글과 사진을 미리 보고, 알맞은 낱말을 각각 찾아 표시하세요.

그곳에는 육각형의 높은 돌기둥들이 긴 해안을 따라 세워져 깎아지른 듯한 절벽을 이루고 있는 게 아닌가?

1 '여섯 개의 직선으로 둘러싸인 평면 도형.'이라는 뜻의 낱말을 찾아 ○표를 하세요.

2 '벼랑 따위가 반듯하게 깎아 세운 듯 가파른.'이라는 뜻의 낱말을 찾아 △표를 하세요.

주상 절리가 생긴
원인 알아보기

제주도에서

장승련

나는 외삼촌께서 가리키시는 쪽을 돌아보았다.

그곳에는 ㉠육각형의 높은 돌기둥들이 긴 해안을 따라 세워져 깎아지른 듯한 절벽을 이루고 있는 게 아닌가? 산이 다듬은 석상처럼 정교하게 겹겹이 쌓여, 하늘을 찌를 듯 수직으로 뻗어 있는 검붉은 돌기둥들! 그 주위에는 납작한 의자 모양의 돌 수십 개가 마치 벌집처럼 연결되어 있었다. 밀가루 반죽으로 일부러 모양을 만든 것 같았다.

"승련아, 저곳이 바로 주상 절리대란다."

"와, 신기해요! 저 파도 좀 보세요."

바람이 불 때마다 우르르 몰려와서 돌기둥 바위들에 부딪쳐 용솟음치는 하얀 파도는, 영화의 한 장면 같은 커다란 물보라를 만들었다.

제주도의 파도와 바람이 오랜 세월 동안 어떻게 하였기에 바위가 저런 모양이 되었을까? 파란 파도가 끊임없이 몰려와 비누 거품처럼 하얗게 부서지는 모습을 보니, 내 마음과 몸도 하얗게 씻기는 것 같았다.

어휘 풀이

▼ **육각형** | 여섯 육 六, 뿔 각 角, 형상 형 形 | 여섯 개의 직선으로 둘러싸인 평면 도형.

▼ **해안** | 바다 해 海, 언덕 안 岸 | 바다와 육지가 맞닿은 부분. 예 해안 모래사장이 무척 아름다웠다.

▼ **깎아지른** 벼랑 따위가 반듯하게 깎아 세운 듯 가파른. 예 나무 한 그루가 깎아지른 듯한 벼랑에 서 있다.

▼ **석상** | 돌 석 石, 모양 상 像 | 돌을 조각하여 만든 사람이나 동물의 형상. 예 위인들의 석상을 만들었다.

▼ **정교** | 찔을 정 精, 교묘할 교 巧 | **하게** 솜씨나 기술 따위가 정밀하고 교묘하게. 예 정교하게 조각을 하였다.

▼ **용** | 물 넘칠 용 湧 | **솟음치는** 물 따위가 매우 세찬 기세로 위로 나오는.

예 용솟음치는 지하수 때문에 옷이 흠뻑 젖었다.

▶ 정답 및 해설 28쪽

1
이해
글쓴이와 함께 제주도를 여행한 사람은 누구인지 찾아 쓰세요.

(   )

2
표현
글쓴이는 ㉠을 무엇에 빗대어 표현하였나요? (   )

① 벌집   ② 석상   ③ 의자

④ 밀가루   ⑤ 비누 거품

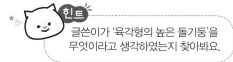
힌트
글쓴이가 '육각형의 높은 돌기둥'을 무엇이라고 생각하였는지 찾아봐요.

서술형

3
이해
글쓴이는 어떤 모습을 보고 자신의 마음과 몸이 하얗게 씻기는 것 같다고 느꼈는지 쓰세요.

_____ 비누 거품처럼 하얗게 부서지는 모습이다.

스스로 독해 해결!

4
요약
글쓴이가 본 것과 생각하거나 느낀 것을 정리하여 빈칸에 알맞은 말을 각각 쓰세요.

본 것	❶ ☐☐☐☐☐ 의 모습 
생각하거나 느낀 것	• 제주도의 파도와 바람이 오랜 세월 동안 어떻게 하였기에 ❷ ☐☐ 가 저런 모양이 되었을지 궁금했다. • 제주도의 ❸ ☐☐ 에 내 마음과 몸이 하얗게 씻기는 것 같았다.

4주
3일

1 다음 빈칸에 들어갈 가족을 부르는 말은 무엇인지 보기 에서 각각 찾아 쓰세요.

보기

외삼촌　　고모　　삼촌　　이모　　숙모　　외숙모

(1) ☐
아버지의
여자 형제

(2) ☐
아버지의
남자 형제

아버지

어머니

(3) ☐
어머니의
남자 형제

(4) ☐
어머니의
여자 형제

나

2 다음 밑줄 그은 관용어의 뜻을 알맞게 말한 친구의 이름에 ○표를 하세요.

하늘을 찌를 듯 수직으로 뻗어 있는 검붉은 돌기둥들

'매우 높이 솟을.'
이라는 뜻인 것 같아.

승현

'기세가 몹시 세찰.'
이라는 뜻 아닐까?

보아

힌트

'관용어'란 둘 이상의 낱말이 합쳐져
원래의 뜻과는 전혀 다른 새로운 의미로
굳어져서 쓰이는 표현을 말해요.

◎ 「제주도에서」의 글쓴이는 육각형의 높은 돌기둥으로 이루어진 주상 절리대를 보고 감탄을 했어요. 이번에는 우리 주위에서 발견할 수 있는 여러 도형에 대해 알아볼까요? 빈칸에 알맞은 도형의 이름을 보기 에서 각각 찾아 쓰세요.

> **보기**
>
> **삼각형** 변이 3개, 꼭짓점이 3개인 도형   **사각형** 변이 4개, 꼭짓점이 4개인 도형
>
> **오각형** 변이 5개, 꼭짓점이 5개인 도형   **육각형** 변이 6개, 꼭짓점이 6개인 도형

 「제주도에서」의 내용을 떠올리며 **우리 주위에서 발견할 수 있는 여러 모양의 도형**을 알아봅니다.

닥터 노먼 베쑨

공부한 날   월   일

인물의 가치관을 짐작하며 글을 읽어 보자!

인물의 가치관을 짐작하며 「닥터 노먼 베쑨」을 읽어 보세요.
가치관은 사람이 어떤 행동이나 일을 선택하고 실천하는 데
바탕이 되는 생각을 말해요. 인물의 생각이 드러난 곳과 인물이
한 일의 까닭을 찾아보면 인물의 가치관을 알 수 있어요.

● 오늘 공부할 글과 그림을 미리 보고, 알맞은 낱말을 각각 찾아 표시하세요.

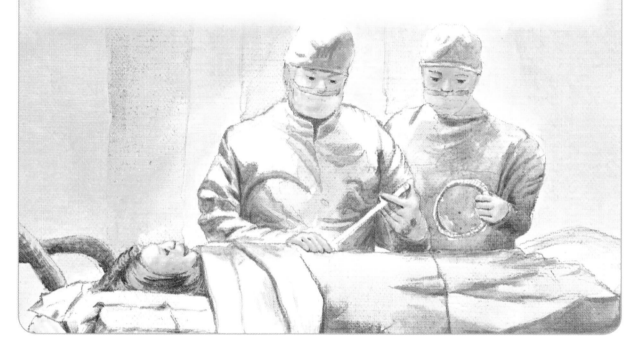

베쏜은 정성껏 치료해서 환자의 병을 깨끗이 낫게 해 주었습니다. 식료품 가게 주인은 감사의 눈물을 흘리며 기뻐했습니다. 그러고는 돈이 없는데 식료품으로 치료비를 대신해도 되겠느냐고 망설이며 물었습니다. 베쏜은 흔쾌히 대답했고, 그 소문은 금세 마을에 퍼졌습니다.

1 '음식의 재료가 되는 물품.'이라는 뜻의 낱말을 찾아 ○표를 하세요.

2 '이리저리 생각만 하고 태도를 결정하지 못하며.'라는 뜻의 낱말을 찾아 △표를 하세요.

전기문에 대하여
알아보기

닥터 노먼 베쑨

스스로 독해

노먼 베쑨은 어떤 가치
관을 가지고 살았을까
요? 점선 부분을 따라
선을 그으며 읽어 보
고 인물의 가치관을
짐작해 보세요.

어느 날, 베쑨에게 식료품 가게 주인이 찾아와 아내의 병을 고쳐 달라고 했습니다. 베쑨은 정성껏 치료해서 환자의 병을 깨끗이 낫게 해 주었습니다. 식료품 가게 주인은 감사의 눈물을 흘리며 기뻐했습니다. 그러고는 돈이 없는데 식료품으로 치료비를 대신해도 되겠느냐고 망설이며 물었습니다. 베쑨은 흔쾌히 대답했고, 그 소문은 금세 마을에 퍼졌습니다. 사람들은 그동안 치료받지 못하고 키워 오던 병을 치료해 달라며 베쑨을 찾아왔습니다.

그리고 자신들이 가진 물건으로 치료비를 대신 냈습니다. 베쑨은 돈이 없어서 병원을 찾지 못하던 사람들이 그렇게라도 치료를 받을 수 있게 되어, 무척 기뻤습니다.

어휘 풀이

▼ **식료품**|먹을 식 食, 되질할 료 料, 물건 품 品| 음식의 재료가 되는 물품. 육류, 어패류, 채소류, 과일류 따위와 같이 주 식품 이외의 것을 이름. 예 여름철에는 상하기 쉬운 식료품 보관에 더욱 신경 써야 한다.

▼ **치료비**|다스릴 치 治, 병 고칠 료 療, 쓸 비 費| 병이나 상처 따위를 잘 다스려 낫게 하는 데에 드는 비용. 예 치료비가 많이 나와 걱정이 되었다.

▼ **망설이며** 이리저리 생각만 하고 태도를 결정하지 못하며. 예 학원에 가기 싫어 망설이며 서 있었다.

▼ **흔쾌**|기뻐할 흔 欣, 쾌할 쾌 快|**히** 기쁘고 유쾌하게. 예 친구는 나의 부탁을 흔쾌히 들어주었다.

▼ **퍼졌습니다** 어떤 물질이나 현상 따위가 넓은 범위에 미쳤습니다. 예 독감이 전국에 퍼졌습니다.

▼ **무척** 다른 것과 견줄 수 없이. 예 어머니께서는 선물을 받고 무척 기뻐하셨다.

1
이해

서술형

식료품 가게 주인이 베쑨을 찾아온 까닭은 무엇인지 쓰세요.

_____ 부탁하기 위해서이다.

2
이해

사람들이 병원에서 치료받지 못하고 병을 키워 온 까닭은 무엇인지 알맞은 것에 ○표를 하세요.

(1) 치료비가 없었기 때문에 (　　　)

(2) 실력이 좋은 의사가 없었기 때문에 (　　　)

3
유추

스스로 독해 해결!

베쑨의 가치관을 알맞게 짐작하여 말한 친구의 이름에 ○표를 하세요.

환자가 가진 물건을 치료비로 받은 것으로 보아 베쑨은 자신의 성공을 최우선으로 생각하는 것 같아.

혜은

병기

식료품으로 치료비를 받은 것으로 보아 베쑨은 돈보다 사람들의 생명이 더 소중하다고 생각하는 것 같아.

힌트

베쑨이 어떤 일을 했고 어떤 생각을 하였는지 살펴보면 베쑨의 가치관을 짐작할 수 있어요.

4
요약

인물의 가치관을 생각하며 내용을 정리하여 빈칸에 알맞은 말을 각각 쓰세요.

　　돈이 없었던 식료품 가게 주인은 베쑨에게 ❶　　　　　을 아내의 치료비로 대신해도 되겠느냐고 부탁하였고, 베쑨은 흔쾌히 들어주었다. 이 소문을 들은 마을 사람들은 병을 치료하기 위해 베쑨의 병원으로 찾아갔고, 자신들이 가진 물건으로 치료비를 대신 냈다. 베쑨은 그렇게라도 ❷　　이 없어서 병원을 찾지 못하던 사람들이 치료를 받을 수 있게 된 것에 무척 기뻐하였다.

▶ 정답 및 해설 29쪽

1   다음 밑줄 그은 낱말의 뜻을 찾아 알맞게 각각 선으로 이으세요.

(1) 베쑨에게 식료품 가게 주인이 찾아와 아내의 병을 <u>고쳐</u> 달라고 했다. •

• ① 고장이 나거나 못 쓰게 된 물건을 손질하여 제대로 되게 해.

(2) 수리공에게 고장 난 골동품 시계를 <u>고쳐</u> 달라고 말했다. •

• ② 병 따위를 낫게 해.

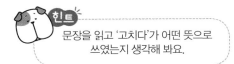

힌트

문장을 읽고 '고치다'가 어떤 뜻으로 쓰였는지 생각해 봐요.

2   다음 보기 의 낱말 뜻을 참고하여 (   ) 안에 들어갈 알맞은 낱말에 각각 ○표를 하세요.

보기

낳다 배 속의 아이, 새끼, 알을 몸 밖으로 내놓다.

낫다 병이나 상처 따위가 고쳐져 본래대로 되다.

우리 집 개가 어제 새끼를 다섯 마리 (1) (낳고 , 낫고) 누워 있어. 많이 힘들었나 봐.

북엇국을 먹여 봐. 체력 회복에 좋다고 하니 빨리 (2) (낳게 , 낫게) 할 수 있을 거야.

똑똑한
하루 독해 게임

재미있는 독해 게임으로 독해력 쑥쑥

▶ 정답 및 해설 29쪽

◉ 다음 만화를 읽고, 장기려 박사의 가치관은 무엇일지 빈칸에 들어갈 알맞은 말에 각각 ◯표를 하세요.

돈이 없는 환자를 도망가게 하고 차비까지 준 행동으로 보아 장기려 박사는 환자의 어려운 상황을 (1) (이해하고 , 무시하고), 최대한 (2) (이용해야 , 도와주어야) 한다는 가치관을 가진 것 같아.

「닥터 똑면 베쑨」의 내용을 떠올리며 한국의 슈바이처라 불리는 **장기려 박사는 어떤 가치관을 가지고 살았는지** 알아봅니다.

둘레 길 이용 안내

공부한 날   월   일

글에서 안내하는 내용을 찾아라!

「둘레 길 이용 안내」를 읽으며 안내하는 내용은 무엇인지
찾아보세요.

제목을 보고 어떤 내용인지 짐작하고 무엇을 안내하고 있는지
확인하며 읽으면 된답니다.

● 오늘 공부할 글의 그림을 미리 보고, 빈칸에 알맞은 낱말을 보기 에서 각각 찾아 쓰세요.

보기
| 농작물 | 의약품 | 도보 | 인원 | 개인 |

❶

탈것을 타지 않고 걸어감.

예 ○○ 여행을 위한 모든 준비를 미리 해야 한다.

❷

논밭에 심어 가꾸는 곡식이나 채소.

예 둘레 길 주변의 ○○○을 만지지 말아야 한다.

❸

국가나 사회, 단체 등을 구성하는 낱낱의 사람.

예 ○○이 사용한 쓰레기는 반드시 되가져 가야 한다.

도보 여행(트레킹)에
대하여 알아보기

스스로 독해

둘레 길을 이용할 때
지켜야 할 점은 무엇
일까요? 점선 부분을
따라 선을 그으며 읽
어 보고 안내하는 내
용을 찾아 정리해 보
세요.

둘레 길 이용 안내

☞ 여행을 위한 준비를 미리 해 주세요.

　도보 여행을 미리 계획하시고, 도시락,
물, 간식, 비상 의약품 등 개인의 여행 상
황에 맞는 준비물을 꼼꼼히 챙기세요.

☞ 작은 모둠을 이루어 여행해 주세요.

　너무 많은 인원이 함께하는 도보 여행
은 주변 주민에게 불편을 줄 수 있어요.
다섯 명 이하의 인원이 적당해요.

☞ 여행할 때 주변 환경을 생각해 주세요.

　둘레 길 주변의 농작물을 만지지 말아
주세요. ㉠또 과자 봉지, 과일 껍질, 음
료수 병 등 개인이 사용한 쓰레기는 반드
시 되가져 가세요.

 | 💻 인터넷 | 🔍 100% ▶

어휘 풀이

▼**도보**|걸을 도 徒, 걸음 보 步| 　탈것을 타지 않고 걸어감. 예 도보로 등교를 하였다.

▼**비상**|아닐 비 非, 항상 상 常| 　뜻밖의 긴급한 사태. 또는 이에 대응하기 위하여 신속히 내려지는 명령.

▼**의약품**|의원 의 醫, 약 약 藥, 물건 품 品| 　병을 치료하는 데 쓰는 약품. 예 요즘 의약품을 구하기가 어렵다.

▼**개인**|낱 개 個, 사람 인 人| 　국가나 사회, 단체 등을 구성하는 낱낱의 사람. 예 개인의 자유를 보장해야 한다.

▼**적당**|갈 적 適, 마땅할 당 當|**해요** 　정도에 알맞아요. 예 이 물건의 가격은 적당해요.

▼**농작물**|농사 농 農, 지을 작 作, 만물 물 物| 　논밭에 심어 가꾸는 곡식이나 채소. 예 농작물을 직접 수확했다.

1
이해

스스로 독해 해결!

이 글에서 안내하고 있는 내용은 무엇인가요? (   )

① 둘레 길 이용 예약 방법

② 자전거 여행할 때 지켜야 할 예절

③ 둘레 길을 이용할 때 지켜야 할 점

④ 도보 여행을 하기 전에 해야 할 운동

⑤ 도보 여행할 때 이용할 수 있는 시설

2
이해

서술형

작은 모둠을 이루어 여행을 하라고 한 까닭은 무엇인지 쓰세요.

너무 많은 인원이 함께하는 도보 여행은 _____

_____ 때문이다.

3
문법

㉠'또'와 바꾸어 쓸 수 있는 이어 주는 말은 무엇인가요? (   )

① 그래서　　　　　② 그러나　　　　　③ 그리고

④ 하지만　　　　　⑤ 왜냐하면

힌트

앞의 문장에 덧붙이는 내용이 이어질 때에
쓰는 말은 무엇인지 생각해 봐요.

4
요약

스스로 독해 해결!

이 글에서 안내하는 내용을 정리하여 빈칸에 알맞은 말을 각각 쓰세요.

둘레 길 이용 안내

① 여행을 위한 ❶ _____ 를 미리 한다.

② 작은 ❷ _____ 을 이루어 여행한다.

③ 여행할 때 주변 ❸ _____ 을 생각한다.

1 다음 빈칸에 들어갈 알맞은 낱말을 보기 에서 찾아 쓰세요.

> **보기**
>
> **이상** 기준이 되는 수를 포함하여 그 위인 경우를 가리킴.
>
> **이하** 기준이 되는 수를 포함하여 그 아래인 경우를 가리킴.

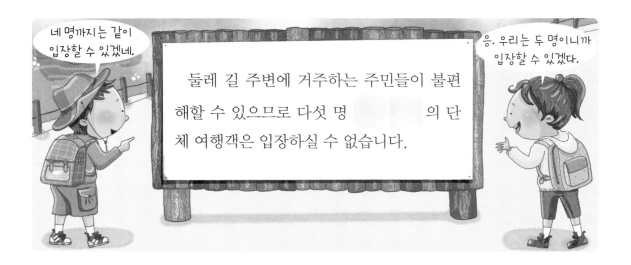

네 명까지는 같이 입장할 수 있겠네.

둘레 길 주변에 거주하는 주민들이 불편해할 수 있으므로 다섯 명 ▢▢ 의 단체 여행객은 입장하실 수 없습니다.

응. 우리는 두 명이니까 입장할 수 있겠다.

2 다음 보기 의 낱말 뜻을 참고로 하여 빈칸에 들어갈 알맞은 말을 각각 선으로 이으세요.

> **보기**
>
> **껍질** 물체의 겉을 싸고 있는 단단하지 않은 물질.
>
> **껍데기** 달걀이나 조개 따위의 겉을 싸고 있는 단단한 물질.

(1) 새가 알의 ▢▢ 를 깨고 나왔다. · · ① 껍질

(2) 양파의 ▢▢ 을 벗기느라 눈물이 났다. · · ② 껍데기

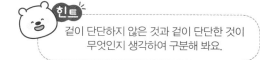

힌트
겉이 단단하지 않은 것과 겉이 단단한 것이 무엇인지 생각하여 구분해 봐요.

똑똑한
하루 독해 게임

재미있는 독해 게임으로 독해력 쑥쑥

▶ 정답 및 해설 30쪽

◉ 수애가 둘레 길 도보 여행을 떠나려고 해요. 다음 명진이가 한 말을 읽고 수애가 배낭에 꼭 챙겨야 할 준비물을 찾아 모두 ○표를 하세요.

[1~2] 다음 글을 읽고, 물음에 답하세요.

"어? 이상하다. 나무뿌리에 걸렸나?"

이반은 고개를 ㉠갸웃거리며 손으로 흙을 ㉡파헤쳐 쟁기 끝을 만져 보았다.

그리고 뭔가 뭉클한 것이 손에 ㉢닿자 그 것을 꽉 움켜쥐고 잡아당겼다. ㉣밖으로 끌려나온 것은 막내 악마였다.

"어이쿠, 기분 나쁘게 생긴 녀석일세."

이렇게 말하며 이반이 쟁기로 악마를 내리치려고 하자 막내 악마가 ㉤비명을 지르며 말했다.

"살려 주세요. 그럼 소원을 들어드릴게요."

1 ㉠~㉤ 중 **잘못** 쓰인 낱말을 고르세요.

( )

① ㉠   ② ㉡   ③ ㉢

④ ㉣   ⑤ ㉤

2 이반이 막내 악마를 발견하고 쟁기로 내리치려고 한 일이 원인이 되어 어떤 결과가 생겼는지 빈칸에 알맞은 말을 쓰세요.

• 막내 악마는 자신을 살려 주면 　　　 을 들어주겠다고 하였다.

[3~5] 다음 글을 읽고, 물음에 답하세요.

우선 소금이 섞인 모래를 물이 담긴 그릇에 담고 잘 저어. 그러면 모래는 물에 녹지 않고 무거우니까 그릇 밑에 가라앉을 거야. 그리고 소금은 물에 잘 녹게 되지. 그다음에 소금과 모래가 섞인 물을 거름종이를 깐 깔때기에 부어. 그러면 모래는 거름종이에 걸러지고, 소금물만 모아지지. 　㉠　 이 소금물을 증발 접시에 넣고 가열하면 물이 증발하면서 결국 소금만 남게 돼.

3 이 글의 내용으로 알맞지 **않은** 것은 무엇무엇인가요? ( )

① 모래는 물에 녹는다.

② 소금은 물에 녹는다.

③ 모래는 거름종이에 걸러진다.

④ 소금물은 거름종이에 걸러진다.

⑤ 소금물을 증발 접시에 넣고 가열하면 물이 증발한다.

4 　㉠　 안에 들어갈 순서를 알려 주는 말로 알맞은 것에 ○표를 하세요.

(우선 , 맨 처음 , 마지막으로)

5 모래에 섞인 소금을 분리하는 순서대로 기호를 쓰세요.

㉮ 소금물을 증발 접시에 넣고 가열한다.

㉯ 소금이 섞인 모래를 물이 담긴 그릇에 넣고 잘 젓는다.

㉰ 소금과 모래가 섞인 물을 거름종이를 깐 깔때기에 부어 소금물만 모은다.

( ) → ( ) → ( )

6 다음 글에서 글쓴이가 본 것은 무엇인지 다섯 글자로 찾아 쓰세요.

> 육각형의 높은 돌기둥들이 긴 해안을 따라 세워져 깎아지른 듯한 절벽을 이루고 있는 게 아닌가? 산이 다듬은 석상처럼 정교하게 겹겹이 쌓여, 하늘을 찌를 듯 수직으로 뻗어 있는 검붉은 돌기둥들! 그 주위에는 납작한 의자 모양의 돌 수십 개가 마치 벌집처럼 연결되어 있었다. 밀가루 반죽으로 일부러 모양을 만든 것 같았다.
> "승련아, 저곳이 바로 주상 절리대란다."

(   )

[7~8] 다음 글을 읽고, 물음에 답하세요.

> 사람들은 그동안 치료받지 못하고 키워 오던 병을 치료해 달라며 베쏜을 찾아왔습니다. 그리고 자신들이 가진 물건으로 치료비를 대신 냈습니다. 베쏜은 돈이 없어서 병원을 찾지 못하던 사람들이 그렇게라도 치료를 받을 수 있게 되어, 무척 기뻤습니다.

7 베쏜이 기뻤던 까닭은 무엇인지 빈칸에 알맞은 낱말을 쓰세요.

- 돈이 없어서 병원을 찾지 못하던 사람들이   를 받을 수 있게 되어서

8 베쏜의 가치관에 ○표를 하세요.

(1) 돈보다 사람들의 생명이 더 소중하다.

(   )

(2) 남들보다 부자가 되기 위해 열심히 노력하는 태도를 가져야 한다. (   )

[9~10] 다음 글을 읽고, 물음에 답하세요.

둘레 길 이용 안내

☞ 여행을 위한 준비를 미리 해 주세요.

도보 여행을 미리 계획하시고, 도시락, 물, 간식, 비상 의약품 등 개인의 여행 상황에 맞는 준비물을 꼼꼼히 챙기세요.

☞ 작은 모둠을 이루어 여행해 주세요.

너무 많은 인원이 함께하는 도보 여행은 주변 주민에게 불편을 줄 수 있어요. 다섯 명 이하의 인원이 적당해요.

9 둘레 길 여행을 바르게 준비한 친구의 이름을 쓰세요.

> 슬아: 도시락, 물, 간식, 비상 의약품을 모두 잘 챙겼어.
> 민혁: 설레는 마음으로 먹고 싶은 간식만 잔뜩 챙겼어.

(   )

10 다음 중, 둘레 길을 여행할 수 있는 모둠에 ○표를 하세요.

(1) (   )   (2) (   )

4주 특강 · 창의·용합·코딩 ①

1 다음 만화를 읽고, 4주차에서 배운 낱말을 떠올려 어휘 퀴즈에 알맞은 낱말을 빈칸에 각각 쓰세요.

4주
특강

❶ '어떤 일이 이루어지기를 바람. 또는 그런 일.'을 뜻하는 말은? →

❷ '아는 것을 모르는 척 할 수는 없는 ○○이다.'의 빈칸에 들어갈 알맞은 말은?

→

❸ '바다와 육지가 맞닿은 부분.'을 뜻하는 말은? →

코딩

2 「제주도에서」를 읽고 제주도에 여행 간 세라가 주상 절리대를 구경한 후 성산 일출봉을 보러 가려고 해요. 세라가 성산 일출봉까지 가려면 어떤 코딩 명령을 따라야 할지 알맞은 것에 ◯표를 하세요.

(1) (   )

(2) (   )

융합

3 「모래에 섞인 소금 분리하기」에서는 '소금이 물에 녹는 성질'을 이용해 소금과 모래를 분리해 보았어요. 다음 만화를 읽고, 쇠구슬과 플라스틱 구슬은 어떤 성질을 이용해 분리해 볼 수 있는지 빈칸에 들어갈 알맞은 말에 각각 ◯표를 하세요.

 자석이 (1) (철 , 플라스틱)을 끌어당기는 성질을 이용하면 쇠구슬과 플라스틱 구슬을 쉽게 분리할 수 있어요. 자석은 (2) (쇠구슬 , 플라스틱 구슬)만 들어 올려요.

창의

4

생활 어휘

다음 캠핑장 이용 안내문을 보고 알맞은 말에 각각 ○표를 하세요.

캠핑장 이용 안내

캠핑장을 이용하시려면 다음 사항을 꼭 지켜 주시기 바랍니다.

- 캠핑장을 이용하시기 전에 ▾예약을 꼭 해 주세요.
- 출입 팔찌 ▾미착용 시 캠핑장에 입장하실 수 없습니다.
- 캠핑장 이용 시간은 ▾당일 오후 2시부터 ▾익일 오전 9시까지입니다.

천재캠핑장 관리 사무소

이용 시간이 익일 오전 9시까지래.

익일이 언제인데?

얘들아! 캠핑장을 이용하려면 미리 연락을 해서 사용 약속을 해야 해. 그리고 출입 팔찌를 (1) (차지 , 빼지) 않으면 캠핑장에 들어갈 수 없단다. 캠핑장 이용 시간은 사용하기로 한 날 오후 2시부터 (2) (다음 날 , 다음 주) 오전 9시까지니까 꼭 기억해 두렴.

어휘 풀이

▾**예약**|미리 예 豫, 맺을 약 約| 미리 약속함. 또는 미리 정한 약속. ⑩ 저녁을 먹을 식당을 예약하였다.

▾**미착용**|아닐 미 未, 붙을 착 着, 쓸 용 用| 마땅히 착용하여야 할 것을 착용하지 아니함.
⑩ 안전벨트 미착용으로 사람이 크게 다쳤다.

▾**당일**|마땅할 당 當, 날 일 日| 일이 있는 바로 그날. ⑩ 개학식 당일에는 매우 복잡할 것이다.

▾**익일**|다음날 익 翌, 날 일 日| 어느 날 뒤에 오는 날. ⑩ 인터넷 쇼핑몰에서 익일 배송을 시작하였다.

창의 5 생활 한자

海(바다 해) 자에 대해 알아보고, 다음 물음에 답하세요.

바다 해

海 자는 물과 어머니의 모습을 함께 그려서 어머니의 물인 '바다'라는 뜻을 표현한 글자예요.

(1) 海 자가 들어간 낱말을 알아보고, 한자의 음을 쓰세요.

① 아침 일찍 일어나 海邊을 걸으며 산책을 하였다.

→ 　　 변

힌트 152쪽에서 공부한 '해안'에 쓰인 海(바다 해) 자에 대해 알아보아요.

4주 특강

② 섬 近海에 파도가 너무 심해서 배들이 들어오지 못했다.

→ 근 　　

(2) 한자 성어의 뜻을 알아보고, 빈칸에 알맞은 한자를 쓰세요.

山 海 珍 味
산 산　　바다 해　　보배 진　　맛 미

산과 바다에서 나는 온갖 진귀한 물건으로 차린, 맛이 좋은 음식.

· 山 　 珍 味 (산해진미)가 가득한 식탁을 보니 군침이 흘렀다.

똑똑한 하루 독해 ✔한 권 끝!

독해 공부 하느라 수고했어요.
약속을 잘 지켰는지 돌아보고 ◯표를 하세요.

약속한 사람 _____

첫째, 하루하루 빠짐없이 꾸준히 공부했나요?　　　　　　예　　아니요

둘째, 하루 독해 문제를 끝까지 다 풀었나요?　　　　　　예　　아니요

셋째, 틀린 문제는 왜 틀렸는지 다시 한번 확인했나요?　예　　아니요

약속을 잘 지키지 못한 부분은 스스로 돌아보고,
다음 단계를 공부할 때에는 더 열심히 해 봐요!

그럼, 다음 책으로 고고!

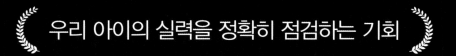

빠른 정답이 들어 있어요!

똑똑한
하루
독해

정답 및 해설

단계
4 B
3~4학년

천재교육

정답과 해설
포인트 ③가지

▶ 혼자서도 이해할 수 있는 친절한 문제 풀이

▶ 문제 해결에 도움을 주는 '더 알아보기'와
   틀린 부분을 짚어 주는 '왜 틀렸을까?'

▶ 예시 답안과 채점 기준 제시로 서술형 문항 완벽 대비

똑똑한 하루 독해

정답 및 해설

1주

1주에는 무엇을 공부할까? ❷

1-1 위장 **1-2** (2) ○
2-1 안 **2-2** 안

독해 미리 보기

1 몹시 **2** 안간힘 **3** 끊으려고

독해

1 (2) ○ **2** 새끼를 살리려고 등
3 ⑤ **4** ❶ 새끼 ❷ 쇠사슬

독해 어휘

1 (1) 암탉 (2) 수캐 (3) 암퇘지
2 (1) ① (2) ③ (3) ②

독해 게임

독해 미리 보기

❶ 열대림 ❷ 주로 ❸ 포식자

독해

1 (2) ○ **2** ①, ③ **3** 칼로리가 너무 낮아 등
4 ❶ 흰색 ❷ 대나무

독해 어휘

1 (1) 희끗희끗하다, 하얗다, 희끄무레하다
  (2) 거무튀튀하다, 거무스름하다, 거뭇거뭇하다
2 (1) 위장 (2) 습성 (3) 축적

독해 게임

독해 미리 보기

❶ 요란스럽게 ❷ 마구

독해

1 (1) ○ **2** ③ **3** 마구 버려 놓고 등
4 ❶ 해수욕장 ❷ 쓰레기

독해 어휘

1 (1) 동호회 (2) 음악회
2 (1) 꽃샘추위 (2) 폭염 (3) 태풍

독해 게임

(1) 비 (2) 가뭄

030쪽~035쪽　　　1주 **4**일

독해 미리 보기

❶ 세계화　❷ 홍보물

독해

1 ㉡　　　**2** 소개 자료가 부족하기 때문이다. 등

3 (1) ○　　**4** ❶ 홍보물　❷ 문화

독해 어휘

1 (1) ② ○　(2) ② ○

2 (1) 세 계 화 　(2) 국 제 적

독해 게임

한글

036쪽~041쪽　　　1주 **5**일

독해 미리 보기

❶ 수시로　❷ 지장　❸ 잠재적

독해

1 상담과 교육을 등　　　**2** (1) 학생 보호자　(2) 학생

3 ④, ⑤　　　**4** ❶ 스마트폰　❷ 담임

독해 어휘

1 (1) 않아도　(2) 안

2 (1) 시력　(2) 수시로　(3) 지장　(4) 점검

독해 게임

돔이

042쪽~043쪽　　　누구나 100점 테스트

1 ②　　　**2** (1) ○　　**3** 위장　　**4** 털색

5 (1) ①　(2) ②　　**6** 태풍　　**7** (2) ○

8 (1) ○　　**9** 책　　**10** ⑤

044쪽~049쪽　　　1주 특강

1 ❶ 위장　❷ 보급　❸ 지장

2 ❶ ↑　❷ ←　❸ ↑　❹ ↑　❺ ←

3 25　　　　　**4** (1) 해로움　(2) 나쁜

5 (1) ① 수 영 　② 수 심

　　(2) 水 魚 之 交

2주

052쪽~053쪽　　　2주에는 무엇을 공부할까? ❷

1-**1** (1) ○　　　**1**-**2** (2) ○

2-**1** 접수　　　**2**-**2** 접수

054쪽~059쪽　　　2주 **1**일

독해 미리 보기

❶ 우승　❷ 교만

독해

1 ①, ③　　**2** 초아　　**3** 우리들의 마음이 자랄 등

4 ❶ 거북이　❷ 마음

독해 어휘

1 (1) 마으미　(2) 자믈　　**2** (1) ②　(2) ①

3 (1) 오만　(2) 겸손

독해 게임

빠른 정답

060쪽~065쪽   2주 2일

독해 미리 보기

❶ 입체 도형   ❷ 폭   ❸ 추상화

독해

1 ④, ⑤   **2** (2) ○   **3** 점, 선, 면을 이용해 등

4 ❶ 크기 ❷ 폭 ❸ 두께

독해 어휘

1 화   **2** (1) ② (2) ③ (3) ①

독해 게임

①-㉠, ②-㉢, ③-㉡, ④-㉣

066쪽~071쪽   2주 3일

독해 미리 보기

1 악착스럽게   **2** 정취   **3** 악

독해

1 (1) 도시 (2) 시골

2 자동차 소리를 비롯한 각종 소음 등

3 민교   **4** ❶ 매미 ❷ 존재

독해 어휘

1 (1) ① (2) ② (3) ①   **2** 쓰다

독해 게임

불완전 탈바꿈

072쪽~077쪽   2주 4일

독해 미리 보기

❶ 단옷날   ❷ 샅바

독해

1 진우   **2** (1) ○   **3** 씨름을 즐겼다는 걸 등

4 ❶ 씨름 ❷ 샅바 ❸ 놀이

독해 어휘

1 (1) 단옷날 (2) 나뭇가지   **2** 수현

독해 게임

(2) ○

078쪽~083쪽   2주 5일

독해 미리 보기

❶ 백일장   ❷ 개최   ❸ 제출

독해

1 사생   **2** 우리나라를 사랑하는 마음 등

3 대철   **4** ❶ 장소 ❷ 방법 ❸ 준비물

독해 어휘

1 (1) ③ (2) ② (3) ①   **2** (1) 부터 (2) 까지

독해 게임

(1)-❸-㉡   (2)-❷-㉠   (3)-❶-㉢

084쪽~085쪽   누구나 100점 테스트

1 마음   **2** 나라   **3** 오만   **4** (1) 선 (2) 면

(3) 점   **5** (1) 여름 (2) 일주일   **6** 재호

7 단옷날   **8** (1) ○   **9** ㉢   **10** ②

086쪽~091쪽   2주 특강

1 ❶ 배신자 ❷ 악 ❸ 내로라하는

2 3

3 (2) ○

4 (1) 만든 (2) 허락

5 (1) ① 평 화 ② 화 해

  (2) 和 氣 靄 靄

3주

3주에는 무엇을 공부할까? ②

1-1 체내	**1-2** 체내
2-1 대량	**2-2** 대량

　3주 **1**일

독해 미리 보기

❶ 돌함 　❷ 불사약

독해

1 ⑤ 　2 ③ 　3 철창에 갇힌 많은 사람들
등 　4 ❶ 지옥 ❷ 바다

독해 어휘

1 정현 　2 (1) 막따 (2) 익따

독해 게임

반포지효

　3주 **2**일

독해 미리 보기

❶ 하품 　❷ 포유동물 　❸ 지능

독해

1 하품 　2 (3) ○ 　3 (1) 클 (2) 찬 (3) 하품 시
간 등 　4 ❶ 뇌신경 ❷ 뇌

독해 어휘

1 (1) ○ 　2 (1) 식히고 (2) 시키고

독해 게임

(1) 눈 (2) 눈물주머니

　3주 **3**일

독해 미리 보기

1 물무늬 　2 긷지요

독해

1 (1) ○ 　2 물을 긷고 있다. 등 　3 미나
4 ❶ 우물 ❷ 동이

독해 어휘

1 풍덩풍덩 　2 (1) 종종걸음 (2) 팔자걸음

독해 게임

❶ 가마 ❷ 똬리 ❸ 달구지 ❹ 지게

　3주 **4**일

독해 미리 보기

1 유기 　2 양반

독해

1 잘 만들어진 물건 등 　2 장내기, 맞춤
3 나영 　4 ❶ 안성 ❷ 안성맞춤

독해 어휘

1 (1) ① (2) ② 　2 (1) 김, 밥 (2) 감, 나무

독해 게임

120쪽~125쪽 3주 5일

독해 미리 보기

❶ 보안경　　❷ 지시　　❸ 사고

독해

1 (4) ×　　2 혹시 모를 사고 등　　3 ③

4 ❶ 실험복　❷ 지시　❸ 장난

독해 어휘

1 (1) 진지　(2) 생신　　2 (4) ○

독해 게임

126쪽~127쪽 누구나 100점 테스트

1 ②　　2 바다　　3 무지개 다리

4 은수　　5 (1) ○　6 (2) ○　　7 안성맞춤

8 (2) ○　9 말씀　　10 (1) ○

128쪽~133쪽 3주 특강

1 ❶ 분석　❷ 요구　❸ 지시

2 ❶ 2　❷ 2　❸ 1

3 (1) 도자기　(2) 목기　(3) 옹기

4 (1) 계속　(2) 잠기는　(3) 빠져나갈

5 (1) ① 분 배 ② 구 분 　(2) 安 分 知 足

4주

136쪽~137쪽 4주에는 무엇을 공부할까? ❷

1-1 증발　1-2 (2) ○　2-1 우리　2-2 흔쾌히

138쪽~143쪽 4주 1일

독해 미리 보기

❶ 쟁기　　❷ 비명

독해

1 (2) ○　　2 기분 나쁘게 등　　3 ③

4 ❶ 쟁기　❷ 소원　❸ 배

독해 어휘

1 (1) 파헤쳐　(2) 금세　　2 (1) 앗　(2) 우아　　3 (1) ○

독해 게임

❶ 고무래　❷ 호미　❸ 낫　❹ 매통

144쪽~149쪽 4주 2일

독해 미리 보기

❶ 분리　　❷ 거름종이　　❸ 가열

독해

1 ⑤　　2 ②, ④, ⑤　　3 모래는 거름종이에

걸러지고 등　4 ❶ 물　❷ 깔때기　❸ 증발 접시

독해 어휘

1 (1) ○　(2) ○　　　2 하지만

독해 게임

(1) 물　(2) 섞이지 않는

150쪽~155쪽 4주 3일

독해 미리 보기

1 육각형　　2 깎아지른

독해

1 외삼촌　　2 ②　　　3 파란 파도가 끊임없이 몰려

와 등　　4 ❶ 주상 절리대　❷ 바위　❸ 파도

독해 어휘

1 (1) 고모　(2) 삼촌　(3) 외삼촌　(4) 이모　　2 승현

독해 게임

❶ 오각형　❷ 육각형　❸ 삼각형

독해 미리 보기

1 식료품　　**2** 망설이며

독해

1 아내의 병을 고쳐 달라고 등　　　　**2** (1) ○

3 병기　　**4 ①** 식료품　**②** 돈

독해 어휘

1 (1) ②　(2) ①　　　　**2** (1) 낳고　(2) 낮게

독해 게임

(1) 이해하고　(2) 도와주어야

독해 미리 보기

① 도보　　**②** 농작물　　**③** 개인

독해

1 ③　　　　**2** 주변 주민에게 불편을 줄 수 있기 등

3 ③　　　　**4 ①** 준비　**②** 모둠　**③** 환경

독해 어휘

1 이상　　　**2** (1) ②　(2) ①

독해 게임

---

1 ③　　　　**2** 소원　　　**3** ①, ④　　　**4** 마지막으로

5 ㉡, ㉢, ㉮　**6** 주상 절리대 등　　**7** 치료

8 (1) ○　　　**9** 슬아　　　**10** (1) ○

---

1 ① 소원　**②** 노릇　**③** 해안

2 (2) ○

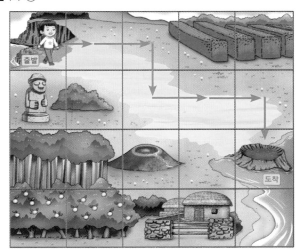

3 (1) 철　(2) 쇠구슬

4 (1) 차지　(2) 다음 날

5 (1) ① 해 변　② 근 해

　　(2) 山 海 珍 味

1주 정답 및 해설

010쪽~011쪽 — 1주에는 무엇을 공부할까? ②

1-1 위장	**1-2** (2) ○
2-1 안	**2-2** 안

1-1 '진짜 모습이나 생각 등이 드러나지 않도록 거짓으로 꾸밈.'이라는 뜻의 낱말은 '위장'입니다.

1-2 친구가 쓴 문장과 같이 낱말 '위장'이 '진짜 모습이나 생각 등이 드러나지 않도록 거짓으로 꾸밈.'이라는 뜻으로 쓰이고 있는 문장은 (2)입니다.

> **〔왜 틀렸을까?〕**
> (1)에서는 '위장'이 '위와 창자를 아울러 이르는 말.'이라는 뜻으로 쓰였습니다.

2-1~2-2 '안 좋아진다.', '안 먹었다.', '안 내렸다.'와 같이 써야 합니다.

013쪽 — 똑똑한 하루 독해 미리 보기

1 몹시	**2** 안간힘	**3** 끊으려고

014쪽~015쪽 — 똑똑한 하루 독해

1 (2) ○	**2** 새끼를 살리려고 등	**3** ⑤
4 ❶ 새끼 **❷** 쇠사슬		

1 '나도 어쩔 수가 없단다.'에서 '수'는 혼자서는 쓸 수 없는 말로, 앞말과는 띄어 쓰고 뒤에 오는 '이/가, 은/는, 을/를' 등과 같은 말과는 붙여 씁니다.

2 이 이야기에서 '나'는 '새끼를 살리려고 이렇게 애를 쓰다니……'라고 생각하였습니다.

> **채점 기준**
> 새끼를 살리기 위해서라는 내용이 들어가게 답을 썼으면 정답으로 합니다.

3 어미 여우 빅센의 행동을 통해 새끼를 사랑하는 마음은 여우 역시 사람과 다를 바가 없다는 것을 깨달

을 수 있습니다.

4 이 이야기에서 일어난 일과 그에 대한 '나'의 생각이 어떠한지 정리해 봅니다.

016쪽 — 똑똑한 하루 독해 어휘

1 (1) 암탉	(2) 수캐	(3) 암퇘지
2 (1) ①	(2) ③	(3) ②

1 (1) 닭의 암컷은 '암탉'이라고 씁니다.
(2) 개의 수컷은 '수캐'라고 씁니다.
(3) 돼지의 암컷은 '암퇘지'라고 씁니다.

> **〔더 알아보기〕**
> **틀리기 쉬운 암컷과 수컷을 가리키는 말 ⑩**
>
> | 동물 | 암컷 | 수컷 |
> |---|---|---|
> | 강아지 | 암캉아지 | 수캉아지 |
> | 당나귀 | 암탕나귀 | 수탕나귀 |
> | 병아리 | 암평아리 | 수평아리 |

2 '끊다'가 각각의 문장에서 어떤 뜻으로 쓰이고 있는지 구분하여 봅니다.

017쪽 — 똑똑한 하루 독해 게임

○ 모든 칸을 한 번씩 지나면서 숫자 1, 2, 3, 4, 5를 순서대로 지나는 여러 가지 방법을 생각해 봅니다.

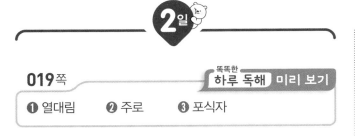

019쪽 　　　　　　　　똑똑한 **하루 독해** 미리 보기

❶ 열대림　　❷ 주로　　❸ 포식자

020쪽~**021**쪽 　　　　똑똑한 **하루 독해**

1 (2) ○　　　**2** ①, ③　　　**3** 칼로리가 너무 낮아 등
4 ❶ 흰색　❷ 대나무

1 이 글에서 낱말 '위장'은 '본래의 정체나 모습이 드러나지 않도록 거짓으로 꾸밈. 또는 그런 수단이나 방법.'이라는 뜻으로 사용되었습니다.

> **〔 왜 틀렸을까? 〕**
> (1)에서 짐작한 뜻의 낱말 '위장(밥통 위 胃, 창자 장 腸)'과 (2)에서 짐작한 뜻의 낱말 '위장(거짓 위 僞, 꾸밀 장 裝)'은 사용된 한자가 서로 다르고 뜻도 서로 다릅니다. 이 글에서는 (2)에서 짐작한 뜻으로 사용되었습니다.

2 판다의 털은 흰색과 검은색으로 이루어져 있습니다.

> **〔 더 알아보기 〕**
> 판다의 얼굴 대부분과 목, 배, 엉덩이 부분에는 흰색 털이 있고, 눈 주변과 팔, 다리 부분에는 검은색 털이 있습니다.

3 판다는 다른 곰과 달리 겨울잠을 자지 않는데, 그것은 주로 먹는 대나무의 잎 칼로리가 너무 낮아 겨울잠을 자는 동안 버틸 만한 지방을 축적할 수 없기 때문이라고 하였습니다.

> **채점 기준**
> 칼로리가 너무 낮다는 내용이 들어가게 답을 썼으면 정답으로 합니다.

4 판다의 털이 흰색과 검은색으로 이루어져 있는 것이 판다의 위장에 어떤 도움을 주는지 정리해 봅니다.

022쪽 　　　　　　　똑똑한 **하루 독해** 어휘

1 (1) 희끗희끗하다, 하얗다, 희끄무레하다
　　(2) 거무튀튀하다, 거무스름하다, 거뭇거뭇하다
2 (1) 위장　(2) 습성　(3) 축적

---

1 (1) • 하야말갛다: 살빛이 탐스럽도록 윤기가 있게 희고 맑다.
　　• 희끗희끗하다: 군데군데 희다.
　　• 하얗다: 깨끗한 눈이나 밀가루와 같이 밝고 선명하게 희다.
　　• 희끄무레하다: 생김새가 번듯하고 빛깔이 조금 희다.

　(2) • 까맣다: 불빛이 전혀 없는 밤하늘과 같이 밝고 짙게 검다.
　　• 거무튀튀하다: 너저분해 보일 정도로 탁하게 거무스름하다.
　　• 거무스름하다: 빛깔이 조금 검은 듯하다.
　　• 거뭇거뭇하다: 군데군데 거무스름하다.

2 (1) '본래의 정체나 모습이 드러나지 않도록 거짓으로 꾸밈. 또는 그런 수단이나 방법.'이라는 뜻의 낱말 '위장'을 써야 합니다.
　(2) '같은 종류의 동물에서 공통되는 생활 양식이나 행동 양식.'이라는 뜻의 낱말 '습성'을 써야 합니다.
　(3) '지식, 경험, 자금 따위를 모아서 쌓음. 또는 모아서 쌓은 것.'이라는 뜻의 낱말 '축적'을 써야 합니다.

023쪽 　　　　　　　똑똑한 **하루 독해** 게임

○ 그림 속에서 흰색과 검은색의 두 가지 털색을 가지고 있는 동물이 판다입니다.

3일

025쪽

똑똑한 하루 독해 **미리 보기**

❶ 요란스럽게 ❷ 마구

026쪽 ~ **027**쪽

똑똑한 하루 독해

1 (1) ○　　**2** ③　　**3** 마구 버려 놓고 등
4 ❶ 해수욕장 ❷ 쓰레기

1 이 시의 내용으로 보아 쓰레기로 더러운 해수욕장의 모습을 떠올리는 것이 알맞습니다.

〔 왜 틀렸을까? 〕
　이 시에서 배경이 되는 장소는 학교 운동장이 아니라 해수욕장입니다.

2 이 시에서 '너'는 이 시의 중심 글감으로, 시의 제목과 내용을 통해 '태풍'임을 짐작할 수 있습니다.

〔 더 알아보기 〕
시의 특성
• 운율이 있어서 시를 읽으면 노래하는 듯한 느낌이 듭니다.
• 빗대어 표현하는 비유적 표현을 통해 사물을 표현합니다.
• 시의 장면이 생생하게 떠오릅니다.

3 3연에서 "너도 / 쓰레기 / 마구 버려 놓고 / 도망갔구나."라고 한 것으로 보아 '너'와 사람들이 해수욕장에 놀러 와서 쓰레기를 마구 버려 놓는 잘못을 했다는 것을 알 수 있습니다.

채점 기준
　마구 버렸다는 내용이 들어가게 답을 썼으면 정답으로 합니다.

4 언제 어디에서 어떤 일이 있었는지 시의 내용을 정리해 봅니다.

028쪽

똑똑한 하루 독해 **어휘**

1 (1) 동호회　(2) 음악회
2 (1) 꽃샘추위　(2) 폭염　(3) 태풍

1 (1) '같은 취미를 가지고 함께 즐기는 사람의 모임.'이라는 뜻의 '동호회'가 만들어집니다.
　(2) '음악을 연주하여 사람들이 음악을 감상하게 하는 모임.'이라는 뜻의 '음악회'가 만들어집니다.

〔 더 알아보기 〕
'–회'가 붙는 낱말 예
• **환영회**: 오는 사람을 반갑게 맞이하는 뜻으로 베푸는 모임.
• **동창회**: 같은 학교를 졸업한 사람들이 모여 서로 친목을 도모하고 모교와의 연락을 하기 위하여 조직한 모임.

2 그림과 문장에 알맞은 낱말을 각각 찾아 씁니다.

〔 더 알아보기 〕
　'꽃샘추위'는 꽃이 피는 것을 시샘해서 나타나는 추위라는 뜻에서 붙여진 이름입니다.

029쪽

똑똑한 하루 독해 **게임**

　태풍은 세차게 쏟아지는 비를 동반한 강한 바람이에요. 그래서 태풍으로 집이 물에 잠기거나 논밭에 심어 놓은 곡식과 채소가 피해를 입기도 하지만, 물이 부족한 지역에서는 태풍이 몰고 오는 (1) (**비**, 눈) 덕분에 (2) (홍수 , **가뭄**)에서 벗어나기도 해요.

◉ 태풍이 하는 좋은 일은 태풍이 몰고 오는 비 덕분에 가뭄에서 벗어나는 지역이 있다는 것입니다.

〔 더 알아보기 〕
태풍의 긍정적인 역할
• 태풍이 적도 근처에서 일어나서 극지방 쪽으로 올라가기 때문에 적도의 뜨거운 열을 추운 극지방 쪽으로 옮겨 주는 역할을 합니다.
• 태풍이 일으키는 거센 바람이 바닷물을 위아래로 잘 섞는 기능도 하기 때문에 바다 생물들의 먹이인 플랑크톤을 옮겨 줍니다.

031쪽　　　하루 독해 **미리 보기**

❶ 세계화　　❷ 홍보물

032쪽 ~ **033**쪽　　　하루 독해

1 ㉢　　　　**2** 소개 자료가 부족하기 때문이다. 등
3 (1) ○　　　**4** ❶ 홍보물　❷ 문화

1 이 글은 세 개의 문단으로 이루어져 있습니다. 첫 번째 문단의 중심 문장은 ㉠이고, 두 번째 문단의 중심 문장은 ㉢이며, 세 번째 문단의 중심 문장은 ㉣입니다.

〔 더 알아보기 〕

문단
・몇 개의 문장이 모여 하나의 중심 생각을 나타내는 글의 부분을 말합니다.
・중심 문장과 뒷받침 문장으로 이루어집니다.

2 이 글에서는 외국인들이 막상 우리 문화에 대해 알고 싶어도 접할 기회가 없거나 소개 자료가 부족해서 가까이하는 데 어려움이 많다고 하였습니다.

채점 기준
소개 자료가 부족하다는 내용이 들어가게 답을 썼으면 정답으로 합니다.

3 글쓴이의 주장은 우리 문화를 세계화하기 위해서는 우리가 먼저 우리 문화를 제대로 이해하고, 이것을 해외에 소개하는 노력을 기울여야 한다는 것입니다. 이와 같은 주장을 뒷받침하면서 우리 문화를 세계화하기 위한 방법으로 알맞은 것은 (1)입니다.

〔 더 알아보기 〕

글쓴이의 주장을 뒷받침하는 내용 ⑩
현재 우리나라에 머물고 있는 외국인들을 대상으로 한국 문화를 소개하는 기회를 만드는 것도 좋은 방법이다. 우리나라를 일시적으로 방문하는 외국인뿐만 아니라, 오랫동안 머무는 외국인들에게 전문적이고 체계적으로 한국 문화를 소개하는 프로그램을 만들 필요가 있다.

4 이 글은 주장하는 글입니다. 각 문단의 중심 문장을 찾아 글쓴이의 주장과 그 주장을 뒷받침하는 근거로 나누어 보면 이 글의 중심 내용을 정리할 수 있습니다.

034쪽　　　하루 독해 **어휘**

1 (1) ② ○　(2) ② ○
2 (1) 세 계 화　(2) 국 제 적

1 낱말의 앞뒤 내용을 잘 살펴보고 '무대'와 '기울여야'가 문장에서 각각 어떤 뜻으로 쓰였는지 알아봅니다.

〔 더 알아보기 〕

다의어를 사용할 때 주의할 점
・낱말의 뜻을 정확하게 파악해야 합니다.
・어떤 뜻으로 쓰인 낱말인지 알려면 낱말의 앞뒤 내용을 잘 살펴보아야 합니다.
・문장의 내용에 어울리게 적절한 낱말을 사용해야 합니다.

2 (1) '세계 여러 나라를 이해하고 받아들임. 또는 그렇게 되게 함.'이라는 뜻의 '세계화'를 써야 합니다.
(2) '여러 나라에 관계되는 성격을 가지거나 그 범위가 여러 나라에 미치는 것.'이라는 뜻의 '국제적'을 써야 합니다.

035쪽　　　하루 독해 **게임**

외국인들에게 가장 소개하고 싶은 우리나라의 문화는 한 글 이에요.

● 수원 화성의 '화'에서 'ㅎ', 창덕궁의 '창'에서 'ㅏ', 온돌의 '온'에서 'ㄴ'을 모으면 '한' 자가 됩니다. 한식의 '식'에서 'ㄱ', 드라마의 '드'에서 'ㅡ', 석굴암의 '굴'에서 'ㄹ'을 모으면 '글' 자가 됩니다. 따라서 '한' 자와 '글' 자가 합쳐져서 답이 '한글'이 됩니다. 한글은 우리나라 고유의 글자로, 세종 대왕이 우리말을 표기하기 위하여 창제한 훈민정음을 달리 이르는 말입니다.

5일

❶ 수시로 　❷ 지장 　❸ 잠재적

1 상담과 교육을 등 　　**2** (1) 학생 보호자 (2) 학생
3 ④, ⑤ 　　**4** ❶ 스마트폰 ❷ 담임

1 가정 통신문에서는 학생들의 스마트폰 사용 습관 점검 결과를 바탕으로 바른 스마트폰 사용을 위한 상담과 교육을 실시하려고 한다고 하였습니다.

> **채점 기준**
> 상담과 교육이라는 내용이 들어가게 답을 썼으면 정답으로 합니다.

2 점검표 위에 '6~12세 아동(보호자용)'이라는 내용이 나옵니다. 따라서 학생의 보호자가 6~12세 아동에 해당하는 학생의 스마트폰 사용 습관을 점검해야 합니다.

3 28점 이상이면 고위험군에 속한다고 하였으므로 28점인 재환과 32점인 애란이 고위험군에 속합니다. 채민이와 현솔이는 일반 사용자군, 다솔이는 잠재적 위험군에 속합니다.

> **더 알아보기**
> **'이상'과 '이하', '초과'와 '미만'의 뜻**
> • **이상**: 기준이 되는 수를 포함하여 그 위인 경우를 가리킴.
> • **이하**: 기준이 되는 수를 포함하여 그 아래인 경우를 가리킴.
> • **초과**: 일정한 수나 한도 따위를 넘음. 기준이 수량으로 제시될 경우에는, 그 수량이 범위에 포함되지 않으면서 그 위인 경우를 가리킴.
> • **미만**: 정한 수효나 정도에 차지 못함. 또는 그런 상태. 기준이 수량으로 제시될 경우에는, 그 수량이 범위에 포함되지 않으면서 그 아래인 경우를 가리킴.

4 가정 통신문에서는 학생들의 스마트폰 사용 습관을 점검하여 그 결과를 9월 9일까지 담임 선생님께 제출하라고 하였습니다.

1 (1) 않아도 (2) 안
2 (1) 시력 (2) 수시로 (3) 지장 (4) 점검

1 (1) '아니하여도'를 넣었을 때 자연스럽기 때문에 '않아도'를 써야 합니다.
　(2) '아니'를 넣었을 때 자연스럽기 때문에 '안'을 써야 합니다.

2 낱말의 앞뒤 내용을 잘 살펴보고 문장에 알맞은 낱말을 각각 써 봅니다.

게임에 성공하지 못한 친구는 등 이 예요.

◎ 세 친구가 이동한 경로를 그려 보면 다음과 같습니다.

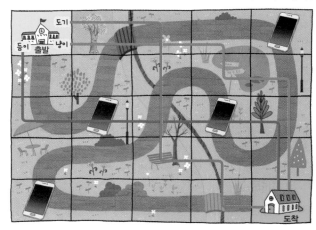

1 ②	**2** (1) ◯
3 위장	**4** 털색
5 (1) ① (2) ②	**6** 태풍
7 (2) ◯	**8** (1) ◯
9 책	**10** ⑤

1 쇠사슬 한 군데가 망치로 두드린 것처럼 납작해져 있었던 것은 빅센이 새끼 여우를 살리려고 이빨로 쇠사슬을 물어뜯었기 때문입니다.

2 빅센이 새끼 여우를 살리려고 이빨로 쇠사슬을 물어 뜯은 것으로 보아 어미 여우 빅센이 새끼를 사랑하는 마음을 짐작할 수 있습니다.

3 낱말 '위장'의 뜻이 제시되어 있습니다.

4 글 ㉮에서 판다의 털이 흰색과 검은색으로 이루어져 있는 것은 위장과 관련이 있다고 말하였습니다.

5 판다의 흰색 털은 겨울철 눈 속에서 자칼, 눈표범 등 포식자의 눈에 띄지 않게 해 주고, 검은색 털은 대나무 숲이나 열대림에서 몸을 숨기는 데 도움을 준다고 하였습니다.

6 이 시에서 '너'는 이 시의 제목인 태풍입니다.

7 이 시에서 말하는 이는 사람들이 해수욕장에 놀러 와 쓰레기를 마구 버려 놓고 도망갔다고 말하고 있습니다.

8 '기울이다'는 하나의 낱말이 여러 가지 뜻을 가지고 있는 다의어입니다. ㉠과 같이 '정성이나 노력 따위를 한곳으로 모아야.'라는 뜻으로 낱말 '기울여야'가 쓰인 문장은 (1)입니다.

〔 왜 틀렸을까? 〕
(2)에서는 '기울여야'가 '비스듬하게 한쪽을 낮추거나 비뚤게 하여야.'라는 뜻으로 쓰였습니다.

9 이 글에서는 우리 문화를 해외에 소개하기 위해서는 우리 문화를 소개하는 책이나 홍보물을 만들어 보급하는 일이 필요하다고 하였습니다.

10 이 글에서는 학생들의 스마트폰 사용 습관 점검 결과를 바탕으로 바른 스마트폰 사용을 위한 상담과 교육을 실시하려고 한다고 하였습니다.

〔 더 알아보기 〕

글을 읽는 목적에 따른 읽기 방법
• **정보를 얻기 위한 목적**: 필요한 정보를 찾아서 정리하며 읽습니다.
• **다른 사람의 생각을 알아보기 위한 목적**: 의미를 파악하며 꼼꼼히 읽습니다.
• **글의 내용을 비판하기 위한 목적**: 글쓴이의 주장과 근거가 타당한지 판단하며 읽습니다.

1 ❶ 위장 ❷ 보급 ❸ 지장
3 25
4 (1) 해로움 (2) 나쁜
5 (1) ① 수 영   ② 수 심
(2) 水 魚 之 交

1 1주에서 배운 낱말을 떠올리며 알맞은 답을 만화에서 찾아 써 봅니다.

2 해수욕장에 버려진 쓰레기 세 개를 모두 주우려면 ↑ 방향으로 한 칸, ← 방향으로 한 칸, ↑ 방향으로 두 칸, ← 방향으로 한 칸을 차례대로 이동해야 합니다. 이동 경로를 표시하면 다음과 같습니다.

3 반 학생들이 몇 명인지는 고위험군, 잠재적 위험군, 일반 사용자군의 학생 수를 모두 더하면 되기 때문에 '2+5+18=25'이므로 25명이 됩니다.

4 '유해'는 '해로움이 있음.', '악취'는 '나쁜 냄새.'라는 뜻입니다.

5 (1) ① 수영(水泳): 스포츠나 놀이로서 물속을 헤엄치는 일.
② 수심(水深): 강이나 바다, 호수 따위의 물의 깊이.
(2) 빈칸에 들어갈 한자는 水(물 수) 자입니다.

052쪽~053쪽 2주에는 무엇을 공부할까? ❷

1-1 (1) ○
1-2 (2) ○
2-1 접수
2-2 접수

1-1 '치열'은 '기세나 세력 따위가 불길같이 맹렬함.'이라는 뜻입니다. (2)는 '수단'의 뜻이고, (3)은 '짝짓기'의 뜻입니다.

1-2 '기세나 세력 따위가 불길같이 맹렬함.'이라는 뜻의 '치열'이 들어간 문장은 (2)입니다. (1)에서의 '치열'은 '이가 죽 박혀 있는 생김새.'라는 뜻입니다.

2-1 '신청이나 신고 따위를 말이나 문서로 받음.'이라는 뜻의 낱말은 '접수'입니다.

2-2 입학 지원서나 참가 신청서 같은 문서를 받는 것이므로 빈칸에는 '접수'가 들어가야 합니다.

055쪽 똑똑한 하루 독해 미리 보기

❶ 우승   ❷ 교만

056쪽~057쪽 똑똑한 하루 독해

1 ①, ③   2 초아   3 우리들의 마음이 자랄 등
4 ❶ 거북이 ❷ 마음

1 자라는 우승보다 마음이 자라는 것을 중요하게 생각합니다. 이때의 마음은 교만한 마음이 아닙니다.

2 거북이가 우승을 해 보았다는 내용이나 토끼가 잠을 잤다는 내용이 나오는 것으로 보아 「토끼와 거북이」가 이 글을 읽을 때 도움이 되는 배경지식입니다.

┌ 더 알아보기 ┐
이야기 「토끼와 거북이」의 내용
　어느 날 토끼와 거북이가 달리기 경주를 하게 되었습니다. 한참 뒤쳐진 거북이를 본 토끼는 여유롭게 낮잠을 잤고, 느리지만 포기하지 않고 열심히 달린 거북이는 결국 우승을 차지했습니다.

3 자라의 코는 우리들의 마음이 자랄 때 반짝인다고 하였습니다.

　　채점 기준
　'우리들의 마음이 자랄'이라는 내용이 들어가게 썼으면 정답으로 합니다.

4 달리기 대회에서 3등을 한 거북이는 우승보다 우리들의 마음이 자라는 것이 더 중요하다는 것을 깨달았습니다.

058쪽 똑똑한 하루 독해 어휘

1 (1) 마으미 (2) 자믈   2 (1) ② (2) ①
3 (1) 오만 (2) 겸손

1 (1) '마음이'의 받침 'ㅁ'을 뒤에 오는 'ㅇ' 자리에 두고 자연스럽게 읽으면 [마으미]로 소리 납니다.
　(2) '잠을'의 받침 'ㅁ'을 뒤에 오는 'ㅇ' 자리에 두고 자연스럽게 읽으면 [자믈]로 소리 납니다.

2 (1) 제시된 문장에 사용된 '자라'는 동물의 한 종류입니다.
　(2) 제시된 문장에 사용된 '자라'는 '생물이 생장하거나 성숙하여져.'라는 뜻입니다.

3 '잘난 체하며 뽐내고 건방짐.'이라는 뜻의 '교만'은 '오만'과 뜻이 비슷하고, '겸손'과 뜻이 반대입니다.

059쪽 똑똑한 하루 독해 게임

2일

061쪽 똑똑한 **하루 독해** 미리 보기

❶ 입체 도형   ❷ 폭   ❸ 추상화

062쪽~063쪽 똑똑한 **하루 독해**

1 ④, ⑤   2 (2) ○   3 점, 선, 면을 이용해 등
4 ❶ 크기   ❷ 폭   ❸ 두께

---

1 점이 움직이면 하나의 선이 되고, 선이 움직인 자리는 면이 되고, 면이 여러 개 모이면 입체 도형이 된다고 하였습니다.

(왜 틀렸을까?)
④: 점, 선, 면이 조화롭게 어울린 모습은 수학에서뿐만 아니라 우리 주위에서도 쉽게 찾을 수 있습니다.
⑤: 오래전부터 사람들은 우리가 사는 세상이 점, 선, 면으로 구성되어 있다고 믿어 왔습니다.

2 삼차원 공간에서 부피를 가지는 도형인 '입체 도형'을 나타낸 그림은 (2)로, 사각기둥 모양입니다.

(왜 틀렸을까?)
그림 (1)은 삼각형으로 '평면 도형'입니다.

3 글의 마지막 부분에 점, 선, 면을 이용해 그린 그림인 추상화에 대한 설명이 나타나 있습니다.

채점 기준
점, 선, 면을 이용했다는 내용이 들어가게 썼으면 정답으로 합니다.

4 점, 선, 면의 각 특징을 설명하기 위해 꼭 필요한 부분을 생각하여 글의 내용을 정리하고, 빈칸에 알맞은 말을 각각 써 봅니다.

064쪽 똑똑한 **하루 독해** 어휘

1 화   2 (1) ②   (2) ③   (3) ①

---

1 추상화의 마지막 글자인 '-화'는 '그림'의 뜻을 더해 주는 말로, '풍경화', '인물화', '정물화'는 모두 그림

의 한 종류입니다.

(더 알아보기)
그림의 뜻을 더해 주는 '-화'로 끝나는 낱말 더 알아보기 예
• **수채화**: 서양화에서, 물감을 물에 풀어서 그린 그림.
• **동양화**: 중국에서 비롯하여 한국, 일본 등 동양 여러 나라에서 발달해 온 그림. 비단이나 화선지에 붓, 먹, 안료를 사용하여 동양의 전통적인 기법과 이론에 따라 그림.
• **풍속화**: 그 시대의 사정과 풍습을 그린 그림.

2 (1) '선을 대다'는 '어떤 인물이나 단체와 관계를 가지다.'라는 뜻을 가진 관용 표현입니다.
(2) '선이 굵다'는 '성격이나 행동 따위가 대범하고 통이 크다.'라는 뜻을 가진 관용 표현입니다.
(3) '선이 가늘다'는 '생김새가 연약하고 섬세하다.'라는 뜻을 가진 관용 표현입니다.

(더 알아보기)
'선이 굵다'와 '선이 가늘다'의 다른 뜻 알아보기
• **선이 굵다**: 생김새가 크고 튼튼하다.
  예 그는 얼굴의 선이 굵어서 다부져 보인다.
• **선이 가늘다**: 성격이 잘고 꼼꼼하다.
  예 나는 선이 가늘어서 과감한 투자는 하지 못할 성격이다.

065쪽 똑똑한 **하루 독해** 게임

①-㉠, ②-㉢, ③-㉡, ④-㉣

○ 그림 조각을 맞추어 완성한 모습입니다.

정답 및 해설

3일

067쪽 · 똑똑한 하루 독해 **미리 보기**

1 악착스럽게 **2** 정취 **3** 악

068쪽~069쪽 · 똑똑한 하루 독해

1 (1) 도시 (2) 시골 **2** 자동차 소리를 비롯한 각종 소음 등 **3** 민교 **4** ❶ 매미 ❷ 존재

1 매미 소리가 시골에서는 한여름 정취를 느끼게 해 주는 서늘한 소리로 들리는데 도시에서는 악을 쓰고 울어 대는 소리로만 들린다고 하였습니다.

2 글쓴이는 매미가 도시에서는 자동차 소리를 비롯한 각종 소음 때문에 제 날갯짓하는 소리가 잘 전달되지 않는다고 생각해서 악을 쓰며 울어 대는 것이라고 생각하였습니다.

> **채점 기준**
> 자동차 소리를 비롯한 각종 소음이라는 내용이 들어가게 썼으면 정답으로 합니다.

3 매미는 몸을 받아 태어나 살아 있는 한 주일 동안 가장 치열하고 뜨겁게 울어야 짝짓기를 할 수 있고 존재의 의미를 찾을 수 있다고 하였습니다. 또 살 수 있는 날이 일주일밖에 주어지지 않았다면 우리도 그랬을 것이라고 하였습니다. 이러한 글쓴이의 생각과 비슷한 생각을 말한 친구는 민교입니다.

4 일주일밖에 살지 못하는 매미는 짝짓기를 하고 존재의 의미를 찾기 위해 치열하고 뜨겁게 운다고 하였습니다.

070쪽 · 똑똑한 하루 독해 **어휘**

1 (1) ① (2) ② (3) ① **2** 쓰다

1 (1) '한겨울'의 '한–'은 '정확한' 또는 '한창인'의 뜻을 더하는 ①'한여름'의 '한–'과 같은 의미로 쓰인 말입니다.

(2) '한시름'의 '한–'은 '큰'의 뜻을 더하는 ②'한걱정'의 '한–'과 같은 의미로 쓰인 말입니다.

(3) '한낮'의 '한–'은 '정확한' 또는 한창인'의 뜻을 더하는 ①'한여름'의 '한–'과 같은 의미로 쓰인 말입니다.

> (**더 알아보기**)
> **'한–'을 사용한 낱말 더 알아보기** 예
> • **한길**: 사람이나 차가 많이 다니는 넓은 길.
> • **한가운데**: 공간이나 시간, 상황 따위의 바로 가운데.
> • **한밤중**: 깊은 밤.
> • **한잠**: 깊이 든 잠.

2 빈칸에 공통으로 들어갈 수 있는 낱말인 '쓰다'는 한 낱말이 여러 가지 뜻을 가지는 다의어입니다.

> (**더 알아보기**)
> **각 문장에 사용된 '쓰다'의 여러 가지 뜻 알아보기**
>
> | 쓰다 | • 어떤 일을 하는 데에 재료나 도구, 수단을 이용하다. |
> |---|---|
> | | • 힘이나 노력 따위를 들이다. |
> | | • 어떤 일을 하는 데 시간이나 돈을 들이다. |
> | | • 몸의 일부분을 제대로 놀리거나 움직이다. |

071쪽 · 똑똑한 하루 독해 **게임**

매미는 성충이 되기 위해 (완전 탈바꿈 , **불완전 탈바꿈**)을 해요.

○ 매미는 '알 → 애벌레 → 성충'의 과정을 거쳐 우리가 아는 매미의 모습이 됩니다. 매미는 번데기 과정을 거치지 않으므로 불완전 탈바꿈을 하는 곤충입니다.

> (**더 알아보기**)
> **완전 탈바꿈을 하는 곤충과 불완전 탈바꿈을 하는 곤충 더 알아보기** 예
>
> | 완전 탈바꿈 | • 나비 | • 파리 |
> |---|---|---|
> | | • 모기 | • 벌 |
> | 불완전 탈바꿈 | • 메뚜기 | • 바퀴벌레 |
> | | • 노린재 | • 하루살이 |

073쪽 　똑똑한 하루 독해 　미리 보기

❶ 단옷날　❷ 샅바

074쪽~**075**쪽 　똑똑한 하루 독해

1 진우　**2** (1) ○　**3** 씨름을 즐겼다는 걸 등
4 ❶ 씨름　❷ 샅바　❸ 놀이

1 글의 처음 부분에서 모래밭이나 잔디밭에서 허리에 감은 서로의 샅바를 붙잡고, 먼저 상대방을 쓰러뜨리는 쪽이 이기는 것이 씨름이라고 설명하였습니다.

　〔 왜 틀렸을까? 〕
　예솔이가 말한 '편을 나누어 새끼줄을 꼬아 만든 굵은 줄을 잡아당겨 상대편을 끌어오면 이기는 놀이'는 줄다리기입니다.

2 ㉠'까마득히'는 '시간이 아주 오래되어 기억이 희미하게.'의 뜻으로 쓰였습니다. '까마득히'의 뒷부분에 '먼 옛날부터 전해 내려온 놀이'라는 말에서 뜻을 짐작할 수 있습니다.

　〔 왜 틀렸을까? 〕
　(2)는 낱말 '가득히'의 뜻 중 하나입니다.

3 글쓴이는 4~5세기에 만들어진 고구려의 각저총에 씨름하는 장면이 그려져 있는 것으로 보아, 적어도 고구려 시대에도 씨름을 즐겼다는 것을 알 수 있다고 하였습니다.

　채점 기준
　씨름을 즐겼다는 내용이 들어가게 썼으면 정답으로 합니다.

4 이 글은 '씨름'에 대해 설명하는 글입니다. 단옷날에 남자들은 씨름을 즐겼고, 음력 7월 보름이나 추석 때에는 각 지방에서 힘센 장사들이 모여 힘을 겨루기도 하였습니다. 또한 씨름은 먼 옛날부터 전해 내려온 놀이로서 오늘날에는 운동 경기로 벌어지기도 하며, 비슷한 것이 일본과 중국, 몽골에도 있습니다.

076쪽 　똑똑한 하루 독해 　어휘

1 (1) 단옷날　(2) 나뭇가지　**2** 수현

1 '나룻배'는 두 낱말인 '나루+배'를 하나의 낱말로 합하는 과정에서 더해진 소리를 표현하기 위해 두 낱말 사이에 'ㅅ'을 받치어 적은 것입니다. '단오+날'과 '나무+가지'도 마찬가지로 두 낱말 사이에 'ㅅ'을 받치어 적으면 됩니다.

2 '내로라하는'이 맞는 표현입니다. '내로라하다'는 '내 놓다'에서 나온 말로 잘못 생각하여 '내노라하다'로 틀리게 쓰는 경우가 많지만 본래 옛날부터 '내로라하다'로 써 왔던 표현입니다.

077쪽 　똑똑한 하루 독해 　게임

(2) ○

◎ 사람들이 하는 말에서 씨름을 보고 있다는 것을 알 수 있습니다. (1)은 춤을 추는 아이, (3)은 활쏘기를 하는 남자 그림입니다.

　〔 더 알아보기 〕
조선 시대 화가 김홍도의 「씨름」 보기

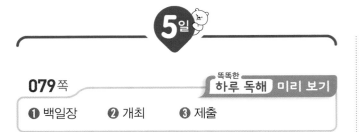

5일

079쪽 〈똑똑한 하루 독해 미리 보기〉

❶ 백일장   ❷ 개최   ❸ 제출

080쪽~081쪽 〈똑똑한 하루 독해〉

1 사생   2 우리나라를 사랑하는 마음 등
3 대철   4 ❶ 장소 ❷ 방법 ❸ 준비물

1 '실물이나 경치를 있는 그대로 그려 그 실력을 겨루는 대회.'는 사생 대회입니다.

〔 더 알아보기 〕
• **백일장**: 국가나 단체에서, 글짓기를 장려하기 위하여 실시하는 글짓기 대회.
• **논술 대회**: 어떤 주제에 관하여 의견을 논리적으로 쓰는 대회.
• **웅변대회**: 청중 앞에서 자신의 사상이나 감정 따위를 힘차고 막힘없이 당당하게 발표하는 대회.

2 안내문의 처음 부분에 대회를 여는 까닭이 나와 있습니다. ○○시에서는 3. 1 운동을 기념하여 우리나라를 사랑하는 마음을 기르고 마음껏 표현할 수 있도록 대회를 개최한다고 하였습니다.

〔 채점 기준 〕
우리나라를 사랑하는 마음이라는 내용이 들어가게 썼으면 정답으로 합니다.

3 대철이가 챙겨야 할 준비물을 알맞게 말하였습니다.

〔 왜 틀렸을까? 〕
선주: 2월 20일까지 참가 신청서를 작성하여 누리집에서 제출해야 한다고 하였습니다.
지한: 대회 참가 대상은 초등학교 3~6학년 학생이라고 하였습니다. 2학년인 지한이의 동생은 참가할 수 없습니다.

4 이 글은 '나라 사랑 백일장 및 사생 대회'에 참가하려는 사람들을 위한 안내문입니다. 이 글의 중요한 내용은 무엇인지 찾아 간단하게 정리해 봅니다.

082쪽 〈똑똑한 하루 독해 어휘〉

1 (1) ③ (2) ② (3) ①   2 (1) 부터 (2) 까지

1 '당일'은 '일이 있는 바로 그날.'을 뜻하는 낱말이고, '모레'는 '내일의 다음 날.'을 뜻하는 낱말입니다. 그리고 '그저께'는 '어제의 전날.'을 뜻하는 낱말입니다.

2 '부터'는 어떤 일이나 상태에 관련된 범위가 시작되는 것을 나타내는 말입니다. (1)은 축구 경기가 1시에 시작된다는 것이므로 빈칸에 '부터'가 들어가야 합니다. '까지'는 어떤 일이나 상태에 관련된 범위가 끝나는 것을 나타내는 말입니다. (2)는 8시 안에 학교에 도착해야 한다는 것이므로 빈칸에 '까지'가 들어가야 합니다.

083쪽 〈똑똑한 하루 독해 게임〉

(1)-❸-ⓛ (2)-❷-㉠ (3)-❶-㉢

◉ (1)의 친구는 글을 잘 쓰므로 백일장에 나가 글을 쓰면 좋을 것이고, (2)의 친구는 미술 시간이 좋다고 하였으므로 사생 대회에 나가 그림을 그리는 것이 좋을 것입니다. (3)의 친구는 사람들 앞에서 발표를 잘하므로 웅변대회에 나가 웅변을 하는 것이 알맞을 것입니다.

084쪽~085쪽 〈평가 누구나 100점 테스트〉

1 마음   2 나라   3 오만   4 (1) 선 (2) 면
(3) 점   5 (1) 여름 (2) 일주일   6 재호
7 단옷날   8 (1) ○   9 ㉢   10 ②

1 '내' 코의 진짜 비밀은 우리들의 마음이 자랄 때 반짝이는 것이라고 하였습니다.

2 달리기 경주를 하다가 토끼가 잠을 자서 거북이에게 졌다는 내용의 「토끼와 거북이」를 알고 이 글을 읽으면 더 재미있게 읽을 수 있습니다.

3 '교만'은 '잘난 체하며 뽐내고 건방짐.'이라는 뜻이므로 '태도나 행동이 건방지거나 거만함.'이라는 뜻의 '오만'과 바꾸어 쓸 수 있습니다.

〔 왜 틀렸을까? 〕
　'겸손'은 '남을 존중하고 자기를 내세우지 않는 태도가 있음.'이라는 뜻입니다.

4 길이를 나타내며 폭이 없는 것은 '선'입니다. 넓이를 나타내며 두께가 없는 것은 '면'입니다. 위치를 나타내며 크기가 없는 것은 '점'입니다.

5 매미는 짝짓기를 하고 알을 낳는 여름의 한 주일 동안 치열하고 뜨겁게 웁니다.

6 매미는 포기하는 삶을 사는 것이 아니라 한 주일만이라도 제 존재를 알리기 위해서 치열하고 뜨겁게 삽니다. 따라서 재호의 생각이 알맞습니다.

7 단옷날에 남자들이 씨름을 즐겼다고 하였습니다.

8 씨름은 모래밭이나 잔디밭에서 서로의 샅바를 붙잡고, 먼저 상대방을 쓰러뜨리는 쪽이 이기는 놀이입니다.

9 '모임, 행사, 경기 따위를 조직적으로 계획하여 엶.'이라는 뜻의 낱말은 '개최'입니다.

〔 왜 틀렸을까? 〕
　㉠: '기념'은 '어떤 뜻깊은 일이나 훌륭한 인물 등을 오래도록 잊지 아니하고 마음에 간직함.'이라는 뜻입니다.
　㉡: '백일장'은 '국가나 단체에서, 글짓기를 장려하기 위하여 실시하는 글짓기 대회.'라는 뜻입니다.

10 '나라 사랑' 또는 '자랑스러운 대한민국'이라는 주제로 글을 쓰거나 그림을 그려야 합니다.

086쪽~**091**쪽　특강 창의·융합·코딩

1 ❶ 배신자　❷ 악　❸ 내로라하는
2 3
3 (2) ○
4 (1) 만든　(2) 허락
5 (1) ① | 평 | 화 |　② | 화 | 해 |

　(2) | 和 | 氣 | 靄 | 靄 |

---

1 2주에서 배운 낱말을 떠올리며 알맞은 답을 만화에서 찾아 써 봅니다.

2 1부터 8까지의 점을 차례대로 직선으로 이으면 3개의 면이 만들어집니다.

3 '↓ 방향으로 1칸 움직이기, ← 방향으로 1칸 움직이기'를 세 번 반복하면 씨름을 체험할 수 있습니다. 코딩 명령에 따라 이동하면 다음과 같습니다.

4 저작권은 그것을 만든 사람이 가지는 권리를 말합니다. 저작권이 있고 무단 사용을 금지하는 영상은 사용하기 전에 허락을 받아야 합니다.

5 (1) '평화(平和)'는 '전쟁, 분쟁 또는 모든 갈등이 없이 평온함. 또는 그런 상태.'라는 뜻이고, '화해(和解)'는 '싸우던 것을 멈추고 서로 가지고 있던 안 좋은 감정을 풀어 없앰.'이라는 뜻입니다.
　(2) 빈칸에 들어갈 한자는 和(화목할 화) 자입니다. '화기애애'는 온화하고 화목한 상황에서 쓸 수 있는 한자 성어입니다.

094쪽~095쪽 **3주에는 무엇을 공부할까? ②**

1-1 체내	1-2 체내
2-1 대량	2-2 대량

1-1 '체외'는 몸의 밖을 뜻하는 낱말입니다. 뜨거운 우리 몸 안의 공기를 밖으로 빼낸다는 의미로 빈칸에는 '체내'가 들어가야 합니다.

1-2 '체내'의 '체'를 '채'로 쓰지 않도록 주의합니다.

2-1 '아주 많은 분량이나 수량.'이라는 뜻은 '대량'의 뜻입니다.

2-2 '대략'은 '대충 어림잡아서.'라는 뜻의 낱말입니다. 공장에서는 물건을 아주 많은 분량이나 수량으로 생산한다는 의미로 '대량'으로 고쳐 써야 합니다.

097쪽 **똑똑한 하루 독해 미리 보기**

❶ 돌함 ❷ 불사약

098쪽~099쪽 **똑똑한 하루 독해**

1 ⑤	2 ③	3 철창에 갇힌 많은 사람들
등	4 ❶ 지옥 ❷ 바다	

1 어비 대왕은 아들을 바랐는데 공주가 태어나자 화가 나서 돌함에 아기를 넣고 강에 버렸습니다.

2 받침 'ㅎ' 뒤에 'ㄱ'이 오면 'ㅋ'으로 소리 나므로 '낳고'는 [나코]로 발음해야 합니다.

3 지옥에 들어선 바리공주는 철창에 갇힌 많은 사람들을 보고 깜짝 놀랐습니다.

채점 기준
철창에 갇힌 많은 사람들이라는 내용이 들어가게 썼으면 정답으로 합니다.

4 바리공주가 겪은 일을 간단하게 정리해 봅니다. 지옥에 들어선 바리공주는 금종으로 철창에 갇힌 사람들을 구해 주었고, 바다에 도착한 후에는 어떻게 건너야 할지 고민하다 무지개 열매를 바다에 빠뜨렸는데 이 열매가 무지개 다리로 변했습니다.

100쪽 **똑똑한 하루 독해 어휘**

1 정현 2 (1) 막따 (2) 익따

1 '바래다'와 '바라다'의 낱말 뜻을 참고로 하여 이 낱말을 바르게 사용한 친구를 찾아봅니다.

2 겹받침 'ㄺ'이 'ㄱ'이 아닌 다른 자음자 앞이나 말의 끝에 오면 겹받침 'ㄺ'은 [ㄱ]으로 소리가 나므로 '맑다'는 [막따]로, '읽다'는 [익따]로 발음해야 합니다.

101쪽 **똑똑한 하루 독해 게임**

「바리공주」에서 일어난 일을 차례대로 따라가며 얻은 보따리에 있는 글자를 모두 합치면 '반포지효'라는 고사성어가 만들어져요. 이 고사성어의 뜻은 '자식이 자란 후에 어버이의 은혜를 갚는 효성.'이에요.

○ 「바리공주」에서 일어난 일을 차례대로 따라가며 얻은 보따리에 있는 글자를 모두 합치면 '반포지효'라는 고사성어가 만들어집니다.

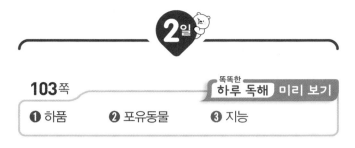

103쪽 ── 똑똑한 **하루 독해** 미리 보기

❶ 하품 ❷ 포유동물 ❸ 지능

104쪽~105쪽 ── 똑똑한 **하루 독해**

1 하품 **2** (3) ○ **3** (1) 클 (2) 찬 (3) 하품 시간 등 **4** ❶ 뇌신경 ❷ 뇌

1 미국 뉴욕 주립대 앤드루 갤럽 교수팀은 연구를 하여 머리가 크고 지능이 높을수록 하품하는 시간이 길어진다는 사실을 알아냈습니다.

┌─〔 더 알아보기 〕
하품이 자주 나온다면 어떻게 해야 할까?
　하품은 수면이 부족하거나 실내 공기가 좋지 않아 산소가 부족할 때 자주 나옵니다. 그러므로 하품을 줄이려면 충분한 수면을 취해야 하고 창문을 열어 환기를 자주 시켜 주는 것이 좋습니다.
└─────────

2 미국 뉴욕 주립대 앤드루 갤럽 교수 연구팀이 24종의 동물을 대상으로 하품 시간을 연구한 결과 쥐가 가장 짧았고, 고양이와 개, 낙타, 코끼리 순으로 하품 시간이 길다고 했습니다.

3 글의 내용을 단서로 생략된 내용을 정리하면 뇌의 크기가 클수록 이를 식히기 위해 더 많은 찬 공기가 필요하기 때문에 하품 시간이 길어질 수밖에 없다는 것입니다.

┌─ 채점 기준 ─
　'클'과 '찬'에 ○표를 하고 하품 시간이라는 내용이 들어가게 썼으면 정답으로 합니다.
└─────────

┌─〔 더 알아보기 〕
글을 읽으며 생략된 내용을 짐작하는 방법
• 글에서 찾을 수 있는 단서를 확인합니다.
• 자신의 경험을 떠올립니다.
└─────────

4 글의 중심 내용을 파악하여 내용을 간단하게 정리해 봅니다.

106쪽 ── 똑똑한 **하루 독해** 어휘

1 (1) ○ **2** (1) 식히고 (2) 시키고

1 '동물'은 '쥐, 고양이, 낙타, 코끼리'를 포함하는 낱말이므로 이러한 관계를 알맞은 틀에 잘 정리하여 나타낸 것은 (1)입니다.

┌─〔 더 알아보기 〕
한 낱말이 다른 낱말을 포함하는 관계 예
• 과일: 사과, 바나나, 귤, 파인애플 등
• 꽃: 장미, 개나리, 백합, 무궁화 등
└─────────

2 제시한 낱말 뜻을 읽어 보고 각 문장에 들어갈 알맞은 낱말을 골라 봅니다.
(1): 국수가 너무 뜨겁다고 하였으므로 '더운 기를 없애다.'라는 뜻의 '식히다'가 알맞습니다.
(2): 동생에게 숙제를 하게 하는 것이므로 '어떤 일이나 행동을 하게 하다.'라는 뜻의 '시키다'가 알맞습니다.

107쪽 ── 똑똑한 **하루 독해** 게임

　하품을 하면 눈물이 나는 까닭은 하품하려고 입을 크게 벌리면 (1) 눈 주변 근육을 자극하게 되는데 그때 (2) 눈물주머니 에 고여 있던 눈물이 밖으로 나오기 때문이에요.

● 만화에서 하품을 하려고 입을 크게 벌리면 눈 주변 근육을 자극하게 되는데 그때 눈물주머니에 고여 있던 눈물이 밖으로 나오기 때문에 하품을 하면 눈물이 난다고 하였습니다.

┌─〔 더 알아보기 〕
눈물의 역할
　눈물은 눈을 깜박거릴 때마다 눈 전체에 퍼져 나가 눈을 부드럽게 해 주고, 눈 속의 먼지를 씻어 냅니다. 눈물샘에서 만들어진 눈물은 눈물주머니에 저장되었다가 울거나 웃거나 하품 등을 할 때 자극을 받아 나옵니다.
└─────────

109쪽 　　　　　 똑똑한 **하루 독해** 미리 보기

1 물무늬　　　**2** 긷지요

110쪽~111쪽 　　　 똑똑한 **하루 독해**

1 (1) ○　　　**2** 물을 긷고 있다. 등　　　**3** 미나
4 ❶ 우물　❷ 동이

1 이 시에서 영이는 저녁노을이 사라지고 별이 뜨기 시작할 때 우물에 가서 두레박으로 물을 긷고 있습니다. 때와 장소는 어디인지, 인물이 하고 있는 일은 무엇인지 파악하여 시의 분위기가 어떠한지 생각해 봅니다.

2 시 속 인물인 영이는 우물에서 두레박으로 물을 긷고 있습니다.

> **채점 기준**
> 물을 긷고 있다는 내용이 들어가게 썼으면 정답으로 합니다.

3 시의 내용을 생각하거나 시에 등장하는 인물의 마음을 짐작하며 떠오르는 장면을 말한 친구를 골라 봅니다. 종영이는 시의 내용과 맞지 않는 장면을 떠올렸습니다.

> **〔 더 알아보기 〕**
> **장면을 떠올리며 시를 읽는 방법**
> • 시의 내용과 관련된 경험을 떠올리며 시를 읽어 봅니다.
> • 시 속 인물의 마음을 생각해 봅니다.
> • 시를 읽고 떠오르는 장면이나 자신의 경험을 친구들과 이야기해 봅니다.
> • 시를 읽고 떠오르는 장면을 그림으로 그려 봅니다.

4 분위기와 인물이 한 일, 인물의 마음을 짐작하며 시의 내용을 정리하여 봅니다.

> **〔 더 알아보기 〕**
> **시 속 인물의 마음 상상해 보기**
> • 시 속 인물이 무엇을 하였는지 생각합니다.
> • 시 속 인물과 비슷한 경험을 떠올려 봅니다.

112쪽 　　　　 똑똑한 **하루 독해** 어휘

1 풍덩풍덩　　　**2** (1) 종종걸음　(2) 팔자걸음

1 보기 의 '또박또박'과 '뚜벅뚜벅'을 각각 읽어 보고 어떤 느낌이 드는지 생각해 봅니다. '또박또박'의 'ㅗ'와 'ㅏ' 보다 '뚜벅뚜벅'의 'ㅜ'와 'ㅓ'가 좀 더 크고 무거운 느낌을 준다는 사실을 알 수 있습니다. 그러므로 '퐁당퐁당'의 큰말은 'ㅗ'와 'ㅏ'가 'ㅜ'와 'ㅓ'로 바뀐 '풍덩풍덩'이 되어야 합니다.

2 낱말 뜻을 읽어 보고 그림의 상황에 어울리는 걸음이 무엇인지 써 봅니다.

> **〔 더 알아보기 〕**
> **걸음을 나타내는 낱말 〈예〉**
> • **잔걸음**: 가까운 거리를 자주 왔다 갔다 하는 걸음.
> • **가재걸음**: 뒷걸음질하는 걸음.
> • **까치걸음**: 두 발을 모아서 뛰는 종종걸음.
> • **배착걸음**: 다리에 힘이 없어 쓰러질 것같이 걷는 걸음.
> • **자국걸음**: 한 발짝씩 조심스럽게 옮겨 디디는 걸음.
> • **잦은걸음**: 두 발을 자주 떼어 놓으며 걷는 걸음.
> • **통통걸음**: 발로 탄탄한 곳을 자꾸 세게 구르며 빨리 걷는 걸음.

113쪽 　　　　 똑똑한 **하루 독해** 게임

❶ 가마　❷ 똬리　❸ 달구지　❹ 지게

◉ 설명을 읽고 우리 조상들이 짐이나 사람을 옮기기 위해 사용했던 도구는 무엇인지 그림에서 찾아봅니다.

> **〔 더 알아보기 〕**
> **똬리**
>
>  똬리는 무거운 짐을 머리에 일 때 받치는 물건입니다. 대개 짚을 말아 만들었는데, 크기는 사람의 머리 둘레만 하고, 모양은 도넛처럼 생겼습니다. 옛날 여자들은 물독이나 항아리처럼 무거운 것을 똬리를 이용해 머리에 이고 날랐습니다.

4일

115쪽 똑똑한 하루 독해 **미리 보기**

1 유기 **2** 양반

116쪽~117쪽 똑똑한 하루 독해

1 잘 만들어진 물건 등 **2** 장내기, 맞춤
3 나영 **4** ❶ 안성 ❷ 안성맞춤

1 글의 처음 부분을 살펴봅니다. '안성맞춤'은 자기가 생각하거나 요구한 대로 잘 만들어진 물건을 가리키는 말이라고 하였습니다.

> **채점 기준**
> 잘 만들어진 물건이라는 내용이 들어가게 썼으면 정답으로 합니다.

2 옛날에 안성에서 만든 유기의 종류는 '장내기'와 '맞춤'입니다.

> **［ 더 알아보기 ］**
> **유기**
> 　조선 시대까지만 해도 유기는 모든 사람들이 흔히 사용하는 생활필수품이었습니다. 전국 각지에서 유기를 생산하였으며, 놋그릇만을 파는 유기전도 따로 있었습니다. 그 중에서도 안성 유기는 품질이 뛰어나 '안성맞춤'이라는 말이 나올 정도로 유명하였습니다. 현재는 불교 용구나 제사 그릇·악기 등을 만드는 데 주로 사용됩니다.

3 글의 내용을 자신이 직접 겪었던 일이나 책을 읽었던 경험, 이야기를 들었던 내용 등과 관련지어 이야기한 친구를 찾아봅니다.

> **［ 더 알아보기 ］**
> **아는 내용이나 겪은 일과 관련지어 글 읽기**
> • 글을 읽을 때 자신이 이미 알고 있었던 내용을 생각하며 글을 읽습니다.
> • 자신의 경험, 알고 있었던 내용과 다른 내용을 비교하고 새롭게 알게 된 내용을 생각하면서 글을 읽습니다.

4 '안성맞춤'이라는 말이 어떻게 생겨났는지 파악하여 내용을 정리해 봅니다.

118쪽 똑똑한 하루 독해 **어휘**

1 (1) ① (2) ② **2** (1) 김, 밥 (2) 감, 나무

1 '가리키다'와 '가르치다'의 뜻을 읽어 보고 제시한 문장에 어떤 낱말이 들어가면 좋을지 생각하여 선으로 이어 봅니다.

2 '놋그릇'은 '놋'과 '그릇'으로 쪼갤 수 있으며 '놋으로 만든 그릇.'이라는 뜻임을 짐작할 수 있습니다. 이를 바탕으로 '김밥'은 '김'과 '밥'으로, '감나무'는 '감'과 '나무'로 쪼갤 수 있음을 알 수 있습니다.

> **［ 더 알아보기 ］**
> **복합어**
> 　뜻을 가진 낱말끼리 합쳐지거나, 뜻을 가진 낱말에 홀로 쓰이기 어려운 말이 붙어서 또 하나의 새로운 낱말이 될 수 있습니다. 이러한 낱말을 '복합어'라고 합니다.

119쪽 똑똑한 하루 독해 **게임**

◉ 수정이가 설명하는 말을 읽고 놋쇠로 만든 우리나라의 전통 타악기가 무엇인지 찾아봅니다. 그림에 제시된 악기 중 놋쇠로 만든 타악기는 꽹과리와 징인데 모양이 징과 비슷하나 크기가 작다고 하였으므로 수정이가 설명하는 악기는 꽹과리입니다.

5일

121쪽   똑똑한 **하루 독해** 미리 보기

❶ 보안경   ❷ 지시   ❸ 사고

122쪽~123쪽   똑똑한 **하루 독해**

1 (4) ×   **2** 혹시 모를 사고 등   **3** ③
4 ❶ 실험복 ❷ 지시 ❸ 장난

1 과학실에서 실험할 때 실험복, 마스크, 보안경, 안전
장갑 등을 착용해야 한다고 하였습니다.

{ 더 알아보기 }

보호 장구를 착용하고 실험해야 하는 까닭
　실험을 하다 화학 약품이 튀어 몸에 닿으면 위험할 수
있고 뜨거운 실험 기구를 만져야 하는 경우도 있기 때문
입니다.

2 과학실에서는 혹시 모를 사고를 예방하기 위해 실험
기구나 화학 약품을 사용할 때 선생님의 지시에 잘
따라야 한다고 하였습니다.

　채점 기준
　혹시 모를 사고라는 내용이 들어가게 썼으면 정답으로
합니다.

3 앞의 문장에 덧붙이는 내용이 이어질 때에는 '그리
고'를 사용합니다.

(왜 틀렸을까?)

①, ②: 앞의 문장과 서로 반대되는 문장이 이어질 때에 사
용합니다.
④: 앞의 내용이 원인이고 뒤의 내용이 결과일 때에 사용
합니다.
⑤: 앞의 내용이 결과이고 뒤의 내용이 원인일 때에 사용
합니다.

4 과학실을 이용할 때 주의할 점을 정리해 봅니다.

124쪽   똑똑한 **하루 독해** 어휘

1 (1) 진지 (2) 생신   **2** (4) ○

1 듣는 사람이 말하는 사람보다 웃어른일 때, 행동하
는 사람이 말하는 사람보다 웃어른일 때 높임 표현
을 사용하여야 합니다. '밥'의 높임 표현은 '진지',
'생일'의 높임 표현은 '생신'입니다.

2 제시한 문장에 쓰인 '치다'가 어떤 뜻으로 사용되었
는지 찾아봅니다.

125쪽   똑똑한 **하루 독해** 게임

◉ 과학실에서 실험을 할 때 지켜야 할 점을 알맞게 말
한 친구를 찾아봅니다.

126쪽~127쪽   평가   누구나 100점 테스트

1 ②   **2** 바다   **3** 무지개 다리
4 은수   **5** (1) ○   **6** (2) ○
7 안성맞춤   **8** (2) ○   **9** 말씀
10 (1) ○

1 바리공주가 주머니 속에서 금종을 꺼내 흔들자, 맑
은 금종 소리에 철창은 산산조각이 나고 말았다고
하였습니다.

2 글 (내)의 내용은 바리공주가 배가 없어 바다를 어떻게 건너야 할지 고민하다가 무지개 열매를 통해 바다를 건널 수 있게 되는 것이므로 글 (내)에서의 일이 일어난 장소는 바다입니다.

3 바리공주가 무지개 열매를 바다에 빠뜨리자 열매는 바다를 건널 수 있는 무지개 다리로 변하였다고 하였습니다.

4 글의 내용을 단서로 생략된 내용을 정리하면 인간은 뇌의 크기가 크기 때문에 뇌를 식혀 주려면 더 많은 찬 공기가 필요해 하품을 길게 한다는 것입니다.

5 '식히다'는 '더운 기를 없애다.'라는 뜻이므로 '국물이 뜨거워서 식혀 먹었다.'와 같이 사용되는 것이 알맞습니다.

〔 왜 틀렸을까? 〕
(2)에서 동생에게 심부름은 식히는 것이 아니라 시키는 것입니다. '시키다'는 '어떤 일이나 행동을 하게 하다.'라는 뜻입니다.

6 시에서 느껴지는 분위기를 통해 시를 읽고 장면을 떠올려 봅니다. 이 시에서 느껴지는 분위기는 고요하고 평화로우므로 영이가 어두운 밤이 무서워 주변을 이리저리 둘러보는 장면은 알맞지 않습니다.

〔 더 알아보기 〕
시의 분위기를 파악하기 위해서는 시 속에 나타난 때와 장소 그리고 인물이 하고 있는 일을 파악해 봅니다.

7 한양의 양반들이 주문한 것에 딱 맞게 안성에서 놋그릇을 만들어 준 일로 생긴 말은 '안성맞춤'입니다.

8 안성의 유기에서 생긴 말에 대한 글을 이해하기 위해서는 안성 지역의 유기를 소개하는 글을 읽었던 경험을 떠올리는 것이 적절합니다.

〔 왜 틀렸을까? 〕
겪은 일을 떠올리며 글을 읽을 때에는 글과 관련 있는 일을 떠올려야 합니다. (1)에서 미술 시간에 점토로 그릇을 만들어 본 일은 글과 관련이 없는 일입니다.

9 '말'을 높임의 뜻이 있는 낱말로 고치면 '말씀'이 됩니다.

10 (1)에서는 글의 안내에 따라 실험복을 입고 마스크, 보안경, 안전 장갑 등을 착용하고 있지만, (2)에서는 과학실에서 장난을 치지 말고 사고가 났을 때에는 즉시 선생님께 알리라는 안내를 따르지 않고 있습니다.

128쪽~133쪽  특강 창의·융합·코딩

1 ❶ 분석 ❷ 요구 ❸ 지시
2 ❶ 2 ❷ 2 ❸ 1
3 (1) 도자기 (2) 목기 (3) 옹기
4 (1) 계속 (2) 잠기는 (3) 빠져나갈
5 (1) ① 분 배 ② 구 분 (2) 安 分 知 足

1 3주에서 배운 낱말을 떠올리며 알맞은 답을 씁니다.

2 영이는 나무에 부딪치지 않고 집까지 가야 합니다. 그러려면 위쪽으로 두 칸, 오른쪽으로 두 칸, 위쪽으로 한 칸, 오른쪽으로 한 칸을 가야 합니다.

3 우리 조상들은 놋쇠로 만든 유기, 푸른빛의 청자와 흰색의 백자가 유명한 도자기, 나무로 만든 그릇인 목기, 보존 능력이 뛰어나 김치나 고추장을 담는 데 많이 쓰인 옹기와 같은 그릇들을 사용해 왔습니다.

4 '상습'은 좋지 않은 버릇이나 일이 계속 반복되는 것을 뜻하고, '침수'는 물에 잠기는 것을 뜻합니다. '배수로'는 물이 빠져나갈 수 있도록 만든 길을 뜻합니다.

5 (1) ① 分配(분배): 몫에 따라 나눔.
　　② 區分(구분): 어떤 기준에 따라 전체를 몇 개의 부분으로 나눔.
(2) 빈칸에 들어갈 한자는 分(나눌 분) 자입니다.

136쪽~137쪽 　　**4주에는 무엇을 공부할까? ❷**

1-1 증발　　　　　　　1-2 (2) ○
2-1 우리　　　　　　　2-2 흔쾌히

1-1~1-2 '어떤 물질이 액체 상태에서 기체 상태로 변함. 또는 그런 현상.'이라는 뜻의 '증발'을 써야 합니다.

2-1 '흔쾌히'는 '기쁘고 유쾌하게.'라는 뜻이므로 글 내용을 바르게 말한 친구는 우리입니다.

2-2 '기쁘고 유쾌하게.'라는 뜻을 가진 낱말의 바른 표기는 '흔쾌히'입니다.

139쪽 　　　**똑똑한 하루 독해 미리 보기**

❶ 쟁기　　　❷ 비명

140쪽~141쪽 　　　**똑똑한 하루 독해**

1 (2) ○　　　2 기분 나쁘게 등　　　3 ③
4 ❶ 쟁기　❷ 소원　❸ 배

1 이반이 마지막 남은 밭을 일구려 할 때 쟁기가 꼼짝도 하지 않은 까닭은 막내 악마가 땅속에서 쟁기를 꽉 붙잡고 있었기 때문입니다.

〔 더 알아보기 〕
쟁기
　쟁기는 논밭을 가는 농기구의 한 가지로 우리나라를 비롯한 중국·일본·동남아시아 각국에서 널리 사용되어 왔습니다. 쟁기로 땅을 갈아엎는 이유는 딱딱한 흙을 섞어서 부드럽게 해 주고, 공기를 통하게 함으로써 흙을 기름지게 하는 물질이 잘 분해되도록 하여 농사가 잘되게 하기 위해서입니다. 최근에는 쟁기가 경운기나 트랙터로 개량되었습니다.

2 이반은 땅속에서 끌려 나온 막내 악마를 보고 기분 나쁘게 생긴 녀석이라고 말하였습니다.

〔 채점 기준 〕
　'기분 나쁘게'라는 내용이 들어가게 썼으면 정답으로 합니다.

3 이반이 쟁기로 자신을 내리치려고 할 때 막내 악마는 어떤 마음이 들었을지 짐작해 봅니다.

〔 더 알아보기 〕
막내 악마의 마음 짐작하기 예
• 이반이 쟁기로 악마를 내리치려고 하자 악마가 비명을 질렀다. → 무서운 마음
• "살려 주세요. 그럼 소원을 들어드릴게요.". → 무서운 마음, 간절히 부탁하는 마음

4 원인과 결과의 흐름을 파악하며 내용을 간단하게 정리해 봅니다.

142쪽 　　　**똑똑한 하루 독해 어휘**

1 (1) 파헤쳐 (2) 금세　　　2 (1) 앗 (2) 우아
3 (1) ○

1 맞춤법에 맞지 않는 낱말을 바르게 고쳐 써 봅니다. '파혜쳐'는 '파헤쳐'로, '금새'는 '금세'로 써야 합니다.

2 인물이 처한 상황을 보고 어떤 느낌을 나타내는 말이 들어가면 좋을지 생각해 봅니다.

〔 왜 틀렸을까? 〕
• **앗**: 다급하거나 놀랐을 때 지르는 외마디 소리.
• **야호**: 신이 나서 외치는 환호의 소리.
• **우아**: 뜻밖에 기쁜 일이 생겼을 때 내는 소리.
• **아차**: 무엇이 잘못된 것을 갑자기 깨달았을 때 하는 말.

3 제시한 문장의 '가닥'은 '한군데서 갈려 나온 낱낱의 줄이나 줄기 따위를 세는 말.'을 뜻합니다.

143쪽 　　　**똑똑한 하루 독해 게임**

❶ 고무래 ❷ 호미 ❸ 낫 ❹ 매통

● **보기** 의 농기구의 쓰임을 참고하여 그림 속 인물들이 필요한 농기구는 무엇인지 생각해 봅니다.

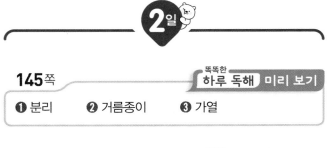

145쪽 미리 보기

❶ 분리   ❷ 거름종이   ❸ 가열

146쪽~147쪽

1 ⑤   2 ②, ④, ⑤
3 모래는 거름종이에 걸러지고 등
4 ❶ 물   ❷ 깔때기   ❸ 증발 접시

1 이 글은 모래에 섞인 소금을 어떻게 분리하는지 설
명하고 있습니다.

┌─ 더 알아보기 ─┐

혼합물

여러 가지 물질이 함께 섞여 있는 것을 혼합물이라고
하는데 우리 주위에서 보는 거의 대부분의 물질은 혼합물
입니다. 혼합물 속에 들어 있는 각 물질은, 그들이 가지고
있는 본래의 성질을 그대로 지니고 있습니다. 예를 들어
우리들이 자주 먹는 오렌지주스는 오렌지즙에 설탕을 섞
은 혼합물인데, 오렌지가 가진 신맛과 설탕이 가진 단맛이
함께 나타납니다.

2 이 글에 나온 순서를 알려 주는 말은 '우선, 그다음
에, 마지막으로'입니다.

┌─ 왜 틀렸을까? ─┐

① 만약: '혹시 있지도 모르는 뜻밖의 경우.'를 뜻하는
말입니다.

③ 그리고: 앞의 문장에 덧붙이는 내용이 이어질 때 사용
하는 말입니다.

3 소금과 모래가 섞인 물을 거름종이를 깐 깔때기에
부으면 모래는 거름종이에 걸러지고, 소금물만 모아
진다고 하였습니다.

채점 기준
모래가 거름종이에 걸러진다는 내용이 들어가게 썼으
면 정답으로 합니다.

4 모래에 섞인 소금을 어떻게 분리하는지 순서에 따라
내용을 간단하게 정리해 봅니다.

148쪽 어휘

1 (1) ○ (2) ○   2 하지만

1 '소금물'은 '소금'과 '물'로 나눌 수 있으며, 각각 뜻
을 가지고 있고 홀로 쓰일 수 있습니다. 이와 같은
짜임의 낱말은 '꿀'과 '벌'로 나눌 수 있는 '꿀벌'과
'돌'과 '다리'로 나눌 수 있는 '돌다리'입니다.

┌─ 왜 틀렸을까? ─┐

(3)의 '조개'는 '조'와 '개'로 나누었을 때 아무 뜻을 가지
지 못하고 홀로 쓰일 수도 없습니다.

2 '하지만'은 두 문장을 연결할 때 서로 반대되는 내용
을 이어 주는 역할을 합니다.

┌─ 더 알아보기 ─┐

이어 주는 말

이어 주는 말은 두 개의 문장을 나란히 이어서 쓸 때 각
각의 내용이 자연스럽게 이어질 수 있도록 해 주는 말입
니다. 이어 주는 말은 앞뒤 문장의 내용을 잘 살펴서 필요
한 곳에 적절하게 사용하여야 합니다.

149쪽 게임

마블링 작업 과정을 보면 유성 물감은 (1) ((물), 기름)
에 녹지 않고 물보다 가볍다는 사실을 알 수 있어요. 즉, 물
과 기름은 서로 (2) (섞이는 , 섞이지 않는) 성질이 있으므로
스포이트나 기름을 빨아들이는 종이로 물 위에 놓인 기름을
제거하면 물과 기름을 쉽게 분리할 수 있어요.

○ '마블링 작업 과정'을 통해 기름의 성질을 파악하여
물과 기름이 섞였을 때 어떻게 분리할 수 있을지 생
각해 봅니다.

┌─ 더 알아보기 ─┐

자석을 이용하여 혼합물 분리하기 예

• 철 캔, 알루미늄 캔 등이 섞인 재활용품 속에서 자석을
이용하여 철 캔을 분리합니다.

• 식품 속에 섞여 있는 철 가루를 자석을 이용하여 분리
합니다.

3일

151쪽 <u>똑똑한 하루 독해</u> 미리 보기

1 육각형   **2** 깎아지른

152쪽~**153**쪽 <u>똑똑한 하루 독해</u>

1 외삼촌   **2** ②

3 파란 파도가 끊임없이 몰려와 등

4 ❶ 주상 절리대 ❷ 바위 ❸ 파도

---

1 글쓴이는 외삼촌이 가리키는 쪽을 바라보았다고 하였습니다.

{ 더 알아보기 }
기행문
   기행문은 여행하면서 체험하거나 느낀 것을 자유롭게 쓴 글로 글쓴이가 보거나 들은 것들이 사실대로 드러나 있습니다. 또한 글쓴이의 솔직한 마음과 여행지에서 느낀 특별한 감상도 잘 드러나 있습니다.

2 글쓴이는 '육각형의 높은 돌기둥'을 '석상'으로 빗대어 표현하였습니다.

{ 더 알아보기 }
   '석상(石像)'이란 '돌을 조각하여 만든 사람이나 동물의 형상.'을 뜻하는 말입니다.

3 글쓴이는 파란 파도가 끊임없이 몰려와 비누 거품처럼 하얗게 부서지는 모습을 보고 자신의 마음과 몸이 씻기는 것 같다고 느꼈습니다.

채점 기준
'파란 파도가 끊임없이 몰려와'라는 내용이 들어가게 썼으면 정답으로 합니다.

4 글쓴이가 본 것과 생각하거나 느낀 것을 간단하게 정리하여 봅니다.

{ 더 알아보기 }
견문과 감상
• 견문: 글쓴이가 보고 들은 것
• 감상: '~ 느꼈다.', '~ 신기하였다.' 등의 글쓴이의 생각과 느낌

154쪽 <u>똑똑한 하루 독해</u> 어휘

1 (1) 고모 (2) 삼촌 (3) 외삼촌 (4) 이모 **2** 승현

1 그림을 보고 '나'가 가족을 부르는 말은 무엇인지 보기 에서 찾아 써 봅니다.

{ 왜 틀렸을까? }
• **외삼촌**: 어머니의 남자 형제를 이르거나 부르는 말.
• **고모**: 아버지의 여자 형제를 이르거나 부르는 말.
• **삼촌**: 아버지의 남자 형제를 이르거나 부르는 말.
• **이모**: 어머니의 여자 형제를 이르거나 부르는 말.
• **숙모**: 아버지 동생의 아내를 이르는 말.
• **외숙모**: 외삼촌의 아내를 이르는 말.

2 문장을 읽어 보고 '하늘을 찌를'이 어떤 뜻으로 쓰였는지 생각해 봅니다.

{ 더 알아보기 }
관용어를 사용하면 좋은 점
• 짧은 말로 자신의 생각을 표현할 수 있습니다.
• 듣는 이의 기분을 상하지 않게 표현할 수 있습니다.
• 재미있는 표현이어서 듣는 이의 관심을 불러일으킬 수 있습니다.

155쪽 <u>똑똑한 하루 독해</u> 게임

❶ 오각형 ❷ 육각형 ❸ 삼각형

◉ 보기 를 참고로 하여 그림 속 친구들이 발견한 도형은 무엇인지 써 봅니다. 집의 모양은 변과 꼭짓점이 다섯 개인 오각형이고, 보도블록 모양은 변과 꼭짓점이 여섯 개인 육각형입니다. 또 교통 표지판 모양은 변과 꼭짓점이 세 개인 삼각형입니다.

{ 더 알아보기 }
여러 가지 도형 예

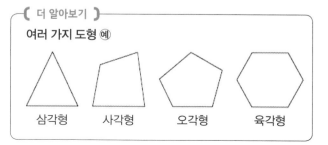

삼각형   사각형   오각형   육각형

4일

157쪽 똑똑한 **하루 독해** 미리 보기

1 식료품　　　**2** 망설이며

158쪽~159쪽 똑똑한 **하루 독해**

1 아내의 병을 고쳐 달라고 등　　　**2** (1) ○
3 병기　　　**4 ❶** 식료품　**❷** 돈

1 글의 처음 부분을 살펴봅니다. 식료품 가게 주인은 아내의 병을 고쳐 달라고 부탁하기 위해 베쑨을 찾아왔습니다.

> **채점 기준**
> 아내의 병을 고쳐 달라는 내용이 들어가게 썼으면 정답으로 합니다.

2 사람들은 치료비가 없었기 때문에 병원에서 치료받지 못하고 병을 키워 왔다고 하였습니다.

3 베쑨의 행동을 통해 어떤 가치관을 가지고 있는지 짐작해 봅니다.

> **(왜 틀렸을까?)**
> 베쑨이 환자가 가지고 있는 물건을 치료비로 받았다는 내용으로 보아 돈보다는 환자의 생명을 중요하게 생각하고 있음을 알 수 있습니다. 따라서 혜은이가 한 말은 맞지 않습니다.

4 인물의 가치관을 생각하며 글의 흐름에 맞게 정리해 봅니다.

> **(더 알아보기)**
> **전기문의 내용**
> • **인물**: 인물의 출생, 성장, 죽음 등의 일생과 인물의 성격이나 가치관 등이 나타남.
> • **사건**: 인물이 한 일과 업적, 그리고 그것을 보여 주는 일화가 나타남.
> • **배경**: 인물이 살았던 때의 사회적·역사적·공간적 배경과 인물의 개인적인 환경이 나타남.
> • **비평**: 인물에 대한 글쓴이의 생각이나 느낌, 평가 등도 나타남.

160쪽 똑똑한 **하루 독해** 어휘

1 (1) ②　(2) ①　　　**2** (1) 낳고　(2) 낫게

1 각 문장을 읽어 보고 '고치다'가 어떤 뜻으로 쓰였는지 생각해 봅니다.

> **(더 알아보기)**
> **'고치다'의 여러 가지 뜻 ㉠**
> • 고장이 나거나 못 쓰게 된 물건을 손질하여 제대로 되게 하다.
> 　㉠ 고장 난 시계를 고치다.
> • 병 따위를 낫게 하다.
> 　㉠ 이 병원은 병을 잘 고친다고 소문이 났다.
> • 잘못되거나 틀린 것을 바로잡다.
> 　㉠ 답안을 고치느라 정신이 없다.
> • 모양이나 내용 따위를 바꾸다.
> 　㉠ 머리 모양을 고치려고 이발소에 갔다.
> • 처지를 바꾸다.
> 　㉠ 복권에 당첨되어 신세를 고치다.

2 '낳다'와 '낫다'의 뜻을 파악하여 제시한 문장에 어떤 낱말이 들어가야 할지 생각해 봅니다.

161쪽 똑똑한 **하루 독해** 게임

돈이 없는 환자를 도망가게 하고 차비까지 준 행동으로 보아 장기려 박사는 환자의 어려운 상황을 (1) (이해하고 , 무시하고), 최대한 (2) (이용해야 , 도와주어야) 한다는 가치관을 가진 것 같아.

○ 이 만화에서 장기려 박사는 돈이 없어 퇴원을 하지 못하는 농부의 사정을 듣고 몰래 도망갈 수 있도록 도와주었습니다. 이를 통해 장기려 박사는 돈보다는 환자의 상황을 이해하고, 최대한 도와주어야 한다는 가치관을 가지고 있음을 알 수 있습니다.

> **(더 알아보기)**
> **인물의 가치관을 짐작하는 방법**
> • 인물의 말과 행동을 통해 생각을 짐작해 봅니다.
> • 인물이 한 일의 까닭을 찾아봅니다.

5일

163쪽 _{똑똑한} 하루 독해 미리 보기

❶ 도보 ❷ 농작물 ❸ 개인

164쪽~165쪽 _{똑똑한} 하루 독해

1 ③ 2 주변 주민에게 불편을 줄 수 있기 등

3 ③ 4 ❶ 준비 ❷ 모둠 ❸ 환경

1 이 글은 둘레 길을 이용할 때 지켜야 할 점에 대하여 안내하는 글입니다.

> **(더 알아보기)**
>
> **안내문**
>
> 다른 사람에게 소개하고 알려 주기 위한 글입니다. 안내문을 쓸 때에는 실생활에 도움을 주는 내용이면서 동시에 너무 자세하지 않고 짧고 간단하게 써서 안내하고자 하는 내용만 정확히 전달하여야 합니다.

2 너무 많은 인원이 함께하는 도보 여행은 주변 주민에게 불편을 줄 수 있기 때문에 작은 모둠을 이루어 여행하라고 하였습니다.

> **채점 기준**
> 주변 주민에게 불편을 준다는 내용이 들어가게 썼으면 정답으로 합니다.

3 앞의 문장에 덧붙이는 내용이 이어질 때에 쓰는 이어 주는 말은 '또'와 '그리고'입니다.

4 안내하는 내용을 파악하여 글의 내용을 간단하게 정리해 봅니다.

> **(더 알아보기)**
>
> **도보 여행할 때 안전 수칙 더 알아보기**
> • 자신에게 맞는 코스를 선택합니다.
> • 일기 변화에 대해 준비를 합니다.
> • 반드시 정해진 코스를 따라 걷습니다.
> • 자연을 보호하는 마음을 갖고, 이를 실천합니다. 등

166쪽 _{똑똑한} 하루 독해 어휘

1 이상 2 (1) ② (2) ①

1 네 명까지는 같이 입장할 수 있다는 것으로 보아, 다섯 명 '이상'은 입장이 되지 않는다는 내용이어야 합니다.

2 알은 단단하므로 '껍데기'이고, 양파는 단단하지 않으므로 '껍질'입니다.

167쪽 _{똑똑한} 하루 독해 게임

○ 그림에서 비상 의약품, 손전등, 초콜릿, 물, 호루라기를 찾아봅니다.

168쪽~169쪽 평가 누구나 100점 테스트

1 ③ 2 소원 3 ①, ④ 4 마지막으로

5 ㉯, ㉰, ㉮ 6 주상 절리대 등 7 치료

8 (1) ○ 9 슬아 10 (1) ○

1 ㉢'닫자'를 '어떤 물체가 다른 물체에 맞붙어 사이에 빈 틈이 없게 되자.'라는 뜻의 '닿자'로 고쳐 써야 합니다.

{ 왜 틀렸을까? }
㉢'닫자'는 '열린 문짝, 뚜껑, 서랍 따위를 도로 제자리로 가게 하여 막자.'라는 뜻입니다.

2 이반이 막내 악마를 발견하고 쟁기로 내리치려고 한 일이 원인이 되어 막내 악마가 이반에게 자신을 살려 주면 소원을 들어주겠다고 말한 결과가 생겼습니다.

3 모래는 물에 녹지 않지만 소금은 물에 녹고, 모래는 거름종이에 걸러지지만 소금이 녹은 소금물은 거름 종이에 걸러지지 않습니다.

4 ㉠ 안에 들어갈 순서를 알려 주는 말은 '마지막으로' 입니다.

{ 왜 틀렸을까? }
'우선'과 '맨 처음'은 다른 일보다 앞선 순서를 알려 주는 말입니다.

5 모래에 섞인 소금을 분리할 때에는, 소금이 섞인 모 래를 물이 담긴 그릇에 넣고 잘 저은 후 소금과 모래 가 섞인 물을 거름종이를 깐 깔때기에 부어 소금물 만 모읍니다. 그 다음 이 소금물을 증발 접시에 넣고 가열하면 소금만 남게 됩니다.

6 글의 마지막 부분에서 글쓴이가 본 것이 '주상 절리 대'라는 것을 알 수 있습니다.

7 베쑨은 돈이 없어서 병원을 찾지 못하던 사람들이 가진 물건으로 치료비를 대신 내고 치료를 받을 수 있게 되어 무척 기뻤습니다.

8 베쑨은 치료를 받지 못하던 사람들이 가진 물건으로 병원비를 대신하여 병원을 찾을 수 있게 되어 기뻤다 는 내용으로 보아, 베쑨이 돈보다 사람의 생명이 더 소중하다고 생각한다는 것을 짐작할 수 있습니다.

9 둘레 길 도보 여행을 계획할 때에는 도시락, 물, 간 식, 비상 의약품 등 여행 상황에 맞는 준비물을 꼼꼼 히 챙겨야 합니다.

10 다섯 명 이하의 인원이 적당하다고 하였으므로 두 명인 모둠 (1)이 알맞습니다.

170쪽~175쪽   **특강** 창의·융합·코딩

1 ❶ 소원 **❷** 노릇 **❸** 해안
2 (2) ○
3 (1) 철 (2) 쇠구슬
4 (1) 차지 (2) 다음 날
5 (1) ① 해 변 ② 근 해
  (2) 山 海 珍 味

1 4주에서 배운 낱말을 떠올리며 알맞은 답을 씁니다.

2 성산 일출봉까지 도착하기 위해서는 '→ 방향으로 2 칸 움직이기, ↓ 방향으로 1칸 움직이기'를 두 번 반 복하면 됩니다. 코딩 명령에 따라 움직이면 다음과 같습니다.

3 자석은 플라스틱은 끌어당기지 않지만 철은 끌어당 깁니다. 그러므로 자석이 철을 끌어당기는 성질을 이용하면 쇠구슬과 플라스틱 구슬을 쉽게 분리할 수 있습니다.

4 '미착용'은 '마땅히 착용하여야 할 것을 착용하지 아 니함.'이라는 뜻이고, '익일'은 '어느 날 뒤에 오는 날.'이라는 뜻입니다.

5 (1) ① 海邊(해변): 바닷물과 땅이 서로 닿은 곳이나 그 근처.
  ② 近海(근해): 거리로 따졌을 때, 육지에 가까이 있는 바다.
  (2) 빈칸에 들어갈 한자는 海(바다 해) 자입니다.

문제 읽을 준비는
저절로 되지 않습니다.

문해력을 키우는 시간

하루 10분

똑똑한 하루 국어 시리즈

문제풀이의 핵심, 문해력을 키우는 승부수

예비초~초6 각A·B
교재별14권

예비초 A·B, 초1~초6: 1A~4C
총 14권

정답은
이안에
있어!